Reine Mimran

vocabulaire
expliqué
du français

Niveau
débutant

INTERNATIONAL

www.cle-inter.com

Édition : Marie-Christine Couet-Lannes
Couverture : Laurence Durandeau
Illustrations : Dominique Billout
Composition : CGI

© CLE International-SEJER 2004
ISBN : 2-09033138-0

AVANT-PROPOS

Le Vocabulaire expliqué du français niveau débutant s'adresse à des étudiants adultes et adolescents qui possèdent déjà quelques notions de français.

Cet ouvrage aborde le vocabulaire non pas sous l'angle thématique, mais sous un angle à la fois morphologique, sémantique et idiomatique.

● L'objet de ce manuel est de montrer à l'étudiant :

– **que la forme peut mener au sens.** Prenons le mot : *atterrissage*. On découvre un préfixe **at-** qui marque la direction « vers » ; ce préfixe est associé au radical du mot « **terre** » auquel s'ajoute le suffixe **-age**, qui indique l'action. Et ainsi, on déduit le sens du mot de sa forme même. C'est *l'action d'aller vers la terre*.

– **qu'un mot se comprend le plus souvent en contexte.** C'est pourquoi nous avons privilégié la présentation sous forme de textes. Ils permettent à l'étudiant de saisir, de préciser le sens des mots à travers une histoire, des portraits, des dialogues.

– **que la mémoire joue un rôle important dans l'acquisition du vocabulaire.** Voir, revoir, répéter des mots, c'est se les approprier.

● Ce livre comporte trois grandes parties :
  I - On forme les mots.   C'est la partie morphologique.
  II - On comprend les mots.   C'est la partie sémantique.
  III - On entre dans la langue. C'est la partie idiomatique.

● À l'intérieur de ces trois grandes parties, chaque unité, chaque chapitre se compose de la manière suivante :

– *Un texte*, qui présente souvent un sujet de la vie courante. Parfois, à la suite du texte, on trouvera des notes qui précisent le sens d'un mot nouveau, ou qui apportent une explication grammaticale, généralement très simple.

– *On récapitule* : ici, on reprend les mots que l'on veut étudier et qui sont notés en gras ou en couleur dans le texte. Ces mots sont mis en contexte et expliqués à travers des exemples et parfois des dessins. Nous avons réduit au maximum le discours théorique pour ne pas décourager l'étudiant.

– *On apprend par cœur* : il s'agit là de petits textes qui reprennent sous forme parfois rimée les termes et expressions qui font l'objet de l'étude du chapitre. Ces textes, faciles à répéter, pourront permettre à l'étudiant d'assimiler les mots nouveaux découverts dans ces chapitres.

Voici quelques suggestions d'utilisation :
– faire apprendre par cœur les textes courts ;
– faire jouer par les étudiants les textes dialogués. Par exemple, page 185 : une rencontre entre une baby-sitter et son amoureux ;
– certains textes pourront être exploités sous forme de jeux auxquels toute la classe participe. Par exemple, p. 41 : un étudiant pose une question, un autre y répond (Variante : utiliser les nationalités de la classe) ;
– enfin, pour les textes longs, donner à chaque étudiant une strophe à apprendre. Par exemple p. 21 : un étudiant pourrait apprendre la première strophe sans préfixe, un autre la deuxième strophe avec le préfixe « dé » et un troisième, la troisième strophe avec le préfixe « re ».

● En ce qui concerne le lexique, nous avons privilégié, compte tenu de notre premier objectif (découvrir la forme, le sens…), les termes concrets, les termes de la réalité de la vie. Lorsque nous abordons des termes plus abstraits, qui peuvent sembler plus difficiles à assimiler, nous les avons volontairement repris d'une leçon à une autre. Chaque fois, ces termes sont expliqués par des exemples nouveaux.

● Les dessins, réalistes ou humoristiques, contribuent à la compréhension du texte.

SOMMAIRE

TROISIÈME PARTIE
ON ENTRE DANS LA LANGUE

LES PRÉFIXES

Pour enrichir la langue, on crée, on fabrique des mots nouveaux. Comment ?
On ajoute une lettre ou un groupe de lettres **au début** d'un mot.
Exemple : *Je **porte** des lunettes. Le facteur **apporte** le courrier. Je pars en voyage, j'**emporte** beaucoup de vêtements. Nous **transportons** le piano du salon dans ma chambre.*
Dans tous ces verbes, on retrouve le mot « porter ». C'est la **base**, le **radical**.
Devant ce radical, on a ajouté les éléments **ap-, em-, trans-**. Ce sont **les préfixes**.
Le préfixe précède le radical, le préfixe change le sens d'un mot.
Le tableau ci-dessous vous donnera la plupart des préfixes français. Nous avons noté en couleur les préfixes qui apparaissent dans cet ouvrage.

A

a-, ab- → = loin de (latin ab, abs)	*absent(e)* = qui est éloigné d'un lieu	*Mon ami n'est pas chez lui, il est **absent**.*
a- = vers ou **ad- → = vers** ad + c → acc- ad + l → all- ad + g → agg- ad + p → app- ad + t → att-	*agrandir* = rendre plus grand ; *apaiser* = donner la paix, le calme. *adjoindre* = ajouter à. *accompagner* = se joindre à quelqu'un, *accourir* = courir vers. *aggraver* = rendre plus grave. *apporter* = porter vers ; *assagir* = rendre sage. *atterrir* = aller vers la terre.	*Le photographe **a agrandi** cette petite photo. La voix de son maître **apaise** le chien. J'**accompagne** mon amie chez elle. La star arrive, la foule **accourt**. Il **apporte** des fleurs à la jeune fille. L'avion **atterrit** à deux heures.*
a-, an- préfixe privatif, = qui n'est pas... sans	*apolitique* = qui n'a aucune opinion politique. *analphabète* = qui ne sait ni lire ni écrire. *anormal(e)* = qui n'est pas normal(e).	*Est-ce qu'il est **anormal** d'être **apolitique** ?*
ante-, anti- = avant	*antécédent* = qui est placé avant un pronom relatif. *antéposer* = poser avant ; *antidater* = dater avant la date réelle.	*Je porte une valise qui est lourde. « valise » est l'**antécédent** du pronom relatif « qui ».*
anti- = contre	*antibiotique, antidopage, antipollution, antiride*	*Aux Jeux olympiques, le contrôle **antidopage** est très sévère.*
archi- = très	*archiconnu(e) ; archifaux, archifausse.*	*Cette opération est **archifausse**.*

B/C

bi-, bis- = deux	*bicolore* = de deux couleurs ; *bicyclette* = qui a deux roues ; *bilingue* = qui parle deux langues.	*Je suis **bilingue**, je parle le français et le russe.*
cata = en arrière, en dessous/contre	*cataclysme* = bouleversement ; *catastrophe* = malheur.	*C'est une **catastrophe** ! Il n'y a plus de maisons, le cyclone est passé.*
circon = autour (du latin circum)	*circonférence* = ce qui fait le tour, limite extérieure d'un cercle.	*Quelle est la **circonférence** de la terre ?*
cis- = en deçà	*cisalpin(e)* = en deçà des Alpes.	*La Gaule **cisalpine** était une région au nord de l'Italie.*
co-, con- › col-, com-, cor- (devant, l, m, r) **= avec**	*coauteur* = auteur avec ; *collègue* = être avec quelqu'un, dans la même fonction ; *correspondre* = s'écrire, répondre.	*Jules et Paul sont **coauteurs** de ce manuel. Le docteur Michel écrit à son **confrère** le docteur Girard.*
contra-, contre- = contre	*contredire* = s'opposer en disant le contraire ; *contradiction* = action de contredire.	*Beaucoup de gens n'aiment pas la **contradiction**.*

D

dé-, dés-, **dis-** = séparé de, qui n'est plus	*débrancher* = enlever la fiche de la prise de courant, pour arrêter le courant ; *déshabiller* = enlever les vêtements ; *distraire* = tirer dans un sens différent.	*Il regarde la télévision pour se **distraire**.*
di- = double	*diptyque* = tableau en deux volets.	*J'ai vu un beau **diptyque** d'un peintre de la Renaissance.*
dia- = à travers, séparation	*une diagonale* = une ligne en travers.	*Voici **la diagonale** d'un carré.*
dys- = mauvais état de fonctionnement	*dyslexique* = qui a des troubles de la lecture, qui lit mal.	*Cet enfant est **dyslexique**.*

E

en-, em- = loin de (du latin inde)	*enlever* = lever en éloignant ; *emporter* = porter loin de.	***Emportez** des vêtements chauds, si vous allez en Russie en décembre.*
en-, em-, in-, im- = dans (du latin in)	*enfermer* = mettre dans un endroit fermé ; *emménager* = s'installer dans un nouveau logement ; *importer* = porter dans (un pays).	*On **enferme** le chien la nuit.* *J'**emménage** dans une nouvelle maison.* *Ce pays **importe** du blé.*
entre-, inter- = entre, réciproque	*entremêler* = mêler les uns aux autres. *s'entretuer* = se tuer mutuellement.	*À Rome, autrefois, les gladiateurs **s'entretuaient**.*
e-, ef-, ex- = hors de, éloignement	*écarter* = mettre à une certaine distance ; *exporter* = porter hors de.	***Écartez** les bras.* *La France **exporte** ses vins.*
épi- = sur	*épiderme* = peau sur le derme.	*Cette crème agit sur l'**épiderme**.*
eu- = bien	*euphémisme* = bonne parole, parole plus douce.	*Quand on appelle un aveugle un malvoyant, on fait un **euphémisme***
extra- = en dehors de, très	*extraordinaire* = en dehors de l'ordinaire. *extrafin* = très fin.	*Cette actrice est **extraordinaire**.* *J'achète des petits pois **extrafins**.*

F/H

for-, four-, fau- = hors de	*faubourg* = hors du bourg.	*À Paris, il y a des quartiers qui étaient hors de la ville, comme le **faubourg** Saint-Antoine…*
hémi- = demi	*hémisphère* = la moitié du globe.	*La terre est partagée en **hémisphère** nord et hémisphère sud.*
hyper- = au-delà de, très	*hyperactif* = très actif ; *hypertension* = tension supérieure à la normale.	*Julie n'arrête pas de bouger, elle est **hyperactive**.*
hypo = au-dessous de	*hypotension* = tension au dessous de la normale.	*Elle souffre d'**hypotension**.*

I/J

in-, ou il-, im-, ir- (devant l, m, r) = qui n'est pas	*inégal* = qui n'est pas égal ; *illisible* = qui n'est pas lisible ; *imparfait* = qui n'est pas parfait ; *irrégulier* = qui n'est pas régulier.	*Je ne peux pas lire votre écriture.* *Elle est **illisible**.*
infra = au-dessous de	*infrastructure* = partie inférieure d'une structure, ensemble des équipements techniques.	*L'**infrastructure** routière est mauvaise dans ce pays.*
inter- = entre	*interclubs* = entre clubs.	*On organise des rencontres sportives **interclubs**.*
intra-, intro- = au dedans	*intraveineux* = à l'intérieur des veines.	*On lui fait une piqûre **intraveineuse**.*
juxta- = auprès de	*juxtaposer* = poser à côté.	*Pour former un mot composé, on **juxtapose** deux mots.*

M

mal-, mau- = qui n'est pas	*malchance* = manque de chance.	*C'est le jour du pique-nique, il pleut ; quelle **malchance** !*
mé-, mes- = qui n'est pas	*mécontent* = qui n'est pas content ; *mésaventure* = mauvaise aventure.	*Les spectateurs **mécontents** quittent la salle, le film est mauvais.*
méta- = après, changement	*métamorphose* = transformation, changement.	*L'acteur se maquille et il devient une femme. Quelle **métamorphose** !*
mi- = milieu	*minuit* = milieu de la nuit.	*À **minuit**, Cendrillon quitte le bal.*
micro- = petit	*microclimat* = région limitée où le climat est différent du reste du pays.	*Certaines îles bretonnes ont un **microclimat**.*
mono- = seul	*monosyllabe* = mot d'une seule syllabe.	*Le mot « oui » est un **monosyllabe**.*
multi- = plusieurs	*multilingue* = qui parle plusieurs langues.	*La Belgique est un pays **multilingue**.*

N/O/P

non- = négation	*non-fumeur* = qui ne fume pas.	*Ce train est **non-fumeurs**.*
outre-, ultra- = au-delà de	*outre-mer* = au-delà des mers.	*La Guadeloupe est un territoire d'**outre-mer**.*
par-, per- = à travers, tout à fait	*parsemer* = semer à travers, répartir ; *parachever* = achever tout à fait.	*L'herbe est **parsemée** de fleurs.*
para- = contre, voisin de	*paratonnerre* = contre le tonnerre ; *paraphrase* = phrase à côté.	*Le **paratonnerre** protège de la foudre.*
per- = de part en part	*perforer* = traverser de part en part.	*La balle lui **a perforé** la jambe.*
péri- = autour de	*périphérique* = éloigné du centre, autour de.	*Le boulevard **périphérique** est toujours encombré de voitures.*
post- = après	*postdater* = dater après.	*Nous sommes le 10 et le chèque porte la date du 12, il est **postdaté**.*
pré- = avant	*préhistoire* = histoire avant l'écriture.	*Nous étudions la **préhistoire** à l'école.*
pro-, por-, pour- = en avant, pour	*projeter* = jeter en avant ; *pronom* = pour le nom.	*Le **pronom** est un mot mis pour le nom.*

R/S

r-, ré- = de nouveau, en arrière, complètement	*rallumer* = allumer de nouveau ; *revenir* = venir en arrière ; *remplir* = emplir complètement.	*Chacun **remplit** son verre. Le père éteint la télé, l'enfant la **rallume**.*
rétro- = en arrière	*rétrograder* = aller en arrière.	*Le pilote **rétrograde**.*
semi- = à demi	*semi-automatique* = en partie automatique.	*C'est une arme **semi-automatique**.*
sou-, sous-, sub- = sous, presque	*souligner* = tirer un trait sous ; *soustraire* = enlever en dessous.	*Soulignez l'adjectif en rouge.*
super-, supra-, sur- = au-dessus, très	*superposer* = poser au-dessus ; *surdoué* = très doué.	*C'est un enfant **surdoué**, il va sauter de classe.*
sus- = plus haut	*suspendre* = faire tenir au-dessus.	*Il a **suspendu** sa veste.*
syl-, sym-, syn-, sy- = avec	*synthèse* = association.	*Il faut faire une **synthèse** de vos idées.*

T/U

télé- = au loin, à distance	*télévision*	*La **télévision** est une distraction pour les personnes âgées et les malades.*
tra-, trans-, tré-, tres = au-delà de, au travers	*traverser* = passer à travers ; *transmettre* = faire passer au-delà.	*J'ai **traversé** le jardin.*
tri-, tris-, = trois	*tricolore* = de trois couleurs.	*Le drapeau anglais est **tricolore**.*
uni- = un	*unilatéral* = d'un seul côté.	*Le stationnement est **unilatéral**.*

LES SUFFIXES

Comme le préfixe, le suffixe permet de former des mots nouveaux. Comment ?
On ajoute une lettre ou un groupe de lettres à la fin d'un mot.
Exemple : *Le jardinier fait du jardinage dans son jardin.*
jardin est le **radical**, le mot base ; *-ier* est un **suffixe de métier** ; *jardinier* est un mot **dérivé**.
jardin est le **radical**, le mot base ; *-age* **est un suffixe d'action** ; *jardinage* est un mot **dérivé**.
Le suffixe est l'élément qu'on ajoute **derrière** le radical pour avoir un mot nouveau. Le suffixe peut changer la nature du mot. Sur le radical du nom *courage*, on a l'adjectif *courageux* et l'adverbe *courageusement*. On peut même avoir un nom préfixé et suffixé : *encouragement*.
Le tableau ci-dessous vous donnera la plupart des suffixes français. Nous avons noté en couleur les suffixes qui apparaissent dans cet ouvrage.

■ LES SUFFIXES DE NOMS

- **Les suffixes de noms qui indiquent l'action ou le résultat de l'action**

-ade (f.)	→ *baignade, glissade, promenade*
-age (m.)	→ *blanchissage, chauffage, pilotage*
-aille (f.)	→ *fiançailles, retrouvailles*
-aison, -ison (f.)	→ *livraison, guérison*
-ation (f.)	→ *agitation, constatation*
-ition (f.)	→ *finition, punition*
-ance/-ence (f.)	→ *croyance, espérance/différence, préférence*
-at (m.)	→ *assassinat*
-ement (m.)	→ *enlèvement*
-erie (f.)	→ *moquerie, tricherie*
-ure (f.)	→ *blessure, fermeture, ouverture*

- **Les suffixes de noms qui indiquent l'agent ou la profession :**

-aire	→ *disquaire, libraire, fonctionnaire, secrétaire, stagiaire*
-ant(e)	→ *fabricant(e)* = qui fabrique ; *habitant(e)* = qui habite
-eur/-euse	→ *chanteur/chanteuse ; coiffeur/coiffeuse, menteur/menteuse*
-ier/-ière ou -er/-ère (après « ch » ou « g »)	→ *épicier/épicière, boucher/bouchère*
-eron	→ *forgeron* = qui forge
-ien(ne)	→ *mécanicien(ne), musicien(ne)*
-iste	→ *fleuriste, journaliste, pianiste, violoniste*
-isme	→ *journalisme* (profession de celui qui écrit dans les journaux).

- **Les suffixes de noms qui indiquent l'arbre, l'instrument ou l'accessoire**

-ier (m.)	→ *abricotier, cerisier, poirier, pommier, oranger (-er après « ch » ou « g »)*
-ail (m.)	→ *éventail*
-eur (m.)	→ *agrandisseur, planeur*
-euse (f.)	→ *tondeuse, couveuse*
-ateur (m.)	→ *sécateur, ventilateur*
-oir (m.)	→ *arrosoir, miroir*
-oire (f.)	→ *bouilloire*

- **Les suffixes de noms qui indiquent le lieu où se fait l'action**

-erie (f.)	→ *épicerie, pâtisserie, boulangerie, boucherie*
-oir (m.)	→ *dortoir, parloir*

- **Les suffixes de noms qui indiquent l'état, la qualité, la fonction, la propriété**

-at (m.)	→ *avocat, professorat, commissariat, secrétariat,*
-erie (f.)	→ *étourderie*
-esse (f.)	→ *gentillesse, jeunesse, sagesse, souplesse, tendresse*
-eur (f.)	→ *blancheur, douceur, grandeur, largeur*
-ie (f.)	→ *jalousie, maladie*
-ise (f.)	→ *franchise, gourmandise*
-isme (m.)	→ *égoïsme* (défaut de celui qui ne pense qu'à lui)
-té (f.)	→ *beauté, bonté*

- **Les suffixes de noms qui indiquent une croyance, une école esthétique (-isme) et l'adepte de cette croyance, de cette école (-iste)**

-isme (m.)   → *communisme, féminisme, impressionnisme, marxisme*
-iste (m. et f.)   → *communiste, féministe, impressionniste, marxiste*
-ien(ne) (m. et f.) → *mozartien(ne), proustien(ne), sartrien(ne)*

- **Les suffixes de noms qui indiquent des collectifs (réunion, mélange, plantation)**

-ade (f.)   → *colonnade, citronnade, orangeade*
-age (m.)   → *feuillage*
-aie (f.)   → *orangeraie* (plantation d'orangers)
-aine (nombre f.) → *une dizaine, une douzaine, une centaine*
-ure/-ature (f.) → *chevelure* (l'ensemble des cheveux)

- **Les suffixes de noms qui ont une valeur péjorative**

-ard (m.) → *chauffard* (mauvais conducteur) ; *froussard* (qui a peur)
-asse (f.) → *paperasse* (des papiers inutiles)

- **Les suffixes de noms qui indiquent les diminutifs**

-eau   → *chevreau* (petit de la chèvre), *lionceau* (petit du lion), *louveteau* (petit du loup)
-elle   → *parcelle* (une petite part)
-et/-ette → *garçonnet* (petit garçon), *jardinet* (petit jardin), *fillette* (petite fille), *maisonnette* (petite maison)
-ine   → *bottine* (petite botte)
-ot/-otte → *frérot* (petit frère), *menotte* (petite main)
-ole   → *bestiole* (petite bête)
-ule   → *globule* (petit globe)

- **Les suffixes de noms qui indiquent l'origine**

-ain(e)   → *Marocain, Cubain, Romain* (originaire du Maroc, de Cuba, de Rome)
-ais(e)   → *Français* (originaire de la France)
-an(e)   → *Persan* (originaire de la Perse)
-and(e)   → *Allemand* (originaire de l'Allemagne)
-éen(ne)   → *Européen* (originaire de l'Europe)
-in(e)   → *Philippin* (originaire des Philippines)
-ien(ne)   → *Parisien* (originaire de Paris)
-ois(e)   → *Chinois* (originaire de la Chine)
-ol(e)   → *Espagnol* (originaire de l'Espagne)

- **Les suffixes qui indiquent le contenu, la mesure et l'âge**

-aire → *sexagénaire* (qui a entre 60 et 69 ans), *septuagénaire* (qui a entre 70 et 79 ans)
-ée   → *la matinée* (toutes les heures du matin), *la soirée* (toutes les heures du soir), *la journée* (toutes les heures du jour),
       → *la cuillerée* (le contenu d'une cuillère), *la bouchée* (la quantité que peut contenir la bouche), *la gorgée* (la quantité que peut contenir la gorge)

■ **LES SUFFIXES D'ADJECTIFS**

- **Les suffixes qui indiquent le caractère, la qualité, la relation**

-ain(e)   → *républicain*
-aire   → *bancaire, planétaire, universitaire*
-al(e)   → *génial, normal*
-ant(e)   → *arrogant, tolérant,*
-el(le)   → *éternel, naturel*
-ent(e)   → *patient, prudent*
-ier, -ière   → *droitier, grossier*
-esque   → *livresque* (qui vient des livres)
-eur, -euse → *menteur*
-eux, -euse → *heureux, malheureux*
-if, ive   → *sportif, tardif* (qui arrive tard)
-in(e)   → *enfantin* (qui est propre à l'enfant, qui est du niveau de l'enfant)
-ique   → *atomique, informatique, médiatique*
-u(e)   → *chevelu* (qui a de longs cheveux épais)

- **Les suffixes qui indiquent la profession, la croyance, l'origine**
-eur, -ateur, -ier, -ien (voir les suffixes de noms)
-**ien**, -**iste** (voir les suffixes de noms)
-ain, -an, -ais, -ois, -ien, -in, -on, -ard (voir les suffixes de noms)

- **Les suffixes qui donnent une valeur superlative**
-issime → *célébrissime* (très célèbre), *richissime* (très riche)

- **Les suffixes qui expriment la possibilité, la capacité**
-able, -ible → *lavable* (qu'on peut laver), *lisible* (qu'on peut lire)

- **Les suffixes qui ont une valeur péjorative et les suffixes diminutifs qui ont une valeur affectueuse**
-ard   → *richard*
-asse   → *blondasse* (d'un vilain blond)
-aud   → *lourdaud* (personne lourde, maladroite)
-âtre   → *grisâtre* (d'un gris sale)
-et(te)   → *pauvret(te)* (pauvre petit, pauvre petite)
-elet(te)   → *maigrelet(te)* (un peu maigre)
-ot(e)   → *pâlot(e)* (un peu pâle)

■ LES SUFFIXES DE VERBES

- **Les suffixes qui ont une valeur factitive**
-ifier → *humidifier* (rendre humide), *personnifier, simplifier* (rendre simple), *solidifier* (rendre solide)
-iser → *laïciser, harmoniser, nationaliser, politiser, ridiculiser, scolariser*

- **Les suffixes qui marquent l'état, l'action**
-oyer → *nettoyer* (rendre net, propre), *tournoyer* (tourner sur soi)

- **Les suffixes fréquentatifs, les suffixes qui ont une valeur péjorative et les suffixes diminutifs**
-ailler   → *discutailler* (discuter, parler de façon interminable)
-asser   → *rêvasser* (rêver souvent, avec une idée de reproche)
-eter   → *tacheter* (faire de nombreuses petites taches)
-iller   → *mordiller* (mordre un peu, plusieurs fois)
-iner   → *trottiner* (faire de nombreux petits pas)
-ouiller   → *bredouiller* (parler d'une manière peu distincte)
-onner   → *chantonner* (chanter tout bas, avec répétition)
-oter   → *tapoter* (donner plusieurs petites tapes)

■ LES SUFFIXES D'ADVERBES

- **Le suffixe -ment qui marque la manière** s'ajoute à la forme du féminin des adjectifs : heureux → heureusement
  – Mais l'adjectif terminé par une voyelle perd devant le suffixe le « e » du féminin :
joli → joliment ; poli → poliment, vrai → vraiment à l'exception de **gai** → **gaiement**.
Certains adverbes rappellent le « e » du féminin par l'accent circonflexe : **assidûment, crûment, dûment...**

Sur le modèle de certains adverbes comme : **séparé** → **séparément**, on a formé quelques adverbes en : -**ément**
→ **confusément, énormément, précisément, profondément...**

Les adjectifs **en -ant et -ent** forment des adverbes en :
-**amment** → **constamment, bruyamment**   -**emment** → **patiemment, prudemment, violemment**

ON FORME LES MOTS

1
CES PETITS MOTS, CES QUELQUES LETTRES QUI CHANGENT TOUT

1 • Le préfixe dé-

■ Je fais une chose et je fais le contraire avec **dé-** → ranger/**dé**ranger.

Une journée de la vie ordinaire

1 *Sept heures du matin!*
Hop, Pauline, au bain!
La maman tire les rideaux.
Pauline : « Sept heures, c'est tôt! »
5 *Mais la maman lève la petite fille,*
Elle la lave et l'**habille**,*
*Elle brosse, **peigne** et **coiffe** ses cheveux.*
Où sont les chaussures? Voici une chaussure, et voilà les deux*!
*Elle **range** la chambre, **fait** le lit de Pauline.*
10 *Sur la grande table de la cuisine*
*Elle **place** un bol de lait bien chaud et une tartine.*

Six heures du soir!
Le ciel est noir.
Pauline est à la maison.
15 *Elle joue dans le salon.*
*Elle fait un puzzle, **déplace** des fauteuils.*
*Elle **défait** le puzzle, **dérange** des feuilles*
Sur le bureau de son père.
Ann-Lynn arrive, c'est la jeune fille au pair*!
20 *Pauline a les mains sales, elle est **décoiffée**, **dépeignée**.*
Ann-Lynn lave le visage, les yeux, le nez,
les oreilles, les mains de la fillette*.
*Elle la **déshabille**; Pauline est enfin prête.*
Il est sept heures du soir!
25 *Voilà les parents, bonsoir, bonsoir!*

---

l. 6 : Elle **la** lave = elle lave **la petite fille** (« la » ou l' + voyelle ou h muet)
l. 8 : Et voilà **les deux** = voilà les deux chaussures.
l. 19 : la jeune fille au pair = Ann-Lynn a une chambre dans la maison de Pauline et pour payer cette chambre, elle travaille dans la maison.
l. 22 : la fillette = la **petite** fille.

On récapitule

Le préfixe est un petit mot ou un groupe de lettres placé **avant** un verbe, un adjectif, un nom ou un adverbe. Il change le sens de ces mots.

Préfixe qui marque **la négation, la privation, la séparation, le défaut ou le contraire** : **dé-** + consonne ou **des-** + voyelle ou h muet (*faire/défaire, habiller/déshabiller*).

Ici, **dé-** forme :

■ **Des verbes**

Coiffer *La maman coiffe Pauline ; elle met des chouchous dans les cheveux de Pauline.*	**Décoiffer** *La petite fille est décoiffée ; elle n'a plus de chouchous.*
Faire *Vous faites un château de sable ? ...*	**Défaire** *...Attention, la mer défait le château !*
Habiller *J'habille l'enfant le matin : un tee-shirt, un jean et un blouson.*	**Déshabiller** *Le soir, je le déshabille.*
Peigner *– Annie, qu'est-ce que tu fais ? Tu peignes les poils du chien ? Mais ce n'est pas une poupée !*	**Dépeigner** *– Mais maman regarde ! Il est dépeigné, comme* moi le matin.*
Placer *Le libraire place les livres sur les étagères...*	**Déplacer** *... et les clients les déplacent.*
Ranger *– Emma, range les CD ! La chambre est pleine de disques. Il y a des CD par terre, sur le lit, sous la chaise...*	**Déranger** *– Qu'est-ce que tu veux ? Attention, tu déranges les livres !*

* comme : je suis blonde, Julie est blonde aussi. Je suis blonde comme Julie.

On apprend par cœur !

Voilà le vent ! Je suis dépeignée, décoiffée !
Voilà ma chambre ! Tout est dérangé, les livres sont déplacés !
Ah, c'est bien ! Les enfants sont déshabillés et lavés !
Ah, c'est très bien ! Mon lit est défait, une journée est passée !

2 • Le préfixe dé- (suite)

> Je fais une chose et je fais le contraire avec **dé-** → plier/**dé**plier.
>
> Je caractérise une chose puis son contraire avec **dé-** (ou **dés-** + voyelle) → ordre/**dé**sordre).

(voir les antonymes p. 106)

Qu'est-ce que je vais mettre ?

1   *Après la douche, Philippe met un jean. Il **attache** sa ceinture et la **serre**.*

  Et maintenant, un tee-shirt ou un pull ? Un pull ! Le temps est frais aujourd'hui. Il cherche son pull jaune dans le placard. Mais il n'est
5   *pas là. Il est peut-être dans la corbeille à linge sale. Il vide la corbeille, pas de pull.*

  *Dans sa chambre, tout est toujours en **ordre**. Il **plie** les pulls et les pose sur l'étagère, il **accroche** les pantalons, mais aujourd'hui il est pressé, il n'a pas le temps, il est en retard.*

10   *Alors, il y a du **désordre** dans la chambre. Mais où est le pull ? Il **déplie** les pulls, il **décroche** les pantalons. Mais où est le pull ? Il crie : « Mman*, où est mon pull jaune ? »*

  À ce moment, sa sœur Julie rentre dans la chambre : « Salut frérot ! Ça va ? Mais tu es tout rouge ! Ta ceinture est très serrée, je vais la **desser-***
15   *rer*. Et puis c'est **démodé** ! Pas de ceinture. ». Philippe **détache** la ceinture et le jean tombe sous sa taille. « Voilà, comme ça, c'est bien ! » dit Julie. Le téléphone sonne. Julie crie : « C'est pour moi ! ». Elle **décroche** le télé-*
20   *phone et parle à une amie. Alors Philippe la regarde. Elle porte le pull jaune.*

QUEL DÉSORDRE !

---

l. 12 : mman = maman.
l. 13 : frérot = petit frère.
l. 15 : Je vais **la** desserrer = Je vais desserrer **la** ceinture.

On récapitule

dé- préfixe négatif forme :

■ Des verbes

dé- devant un verbe simple (*déplier*)
ou
des- devant un verbe qui commence par : **s-** (*desserrer*)

Plier	Déplier
*Je **plie** les draps et je les mets dans l'armoire.*	*Je fais le lit, je **déplie** des draps propres.*
Serrer	**Desserrer**
*Je **serre** ma ceinture… Je **serre**… je **serre**…*	*… Je ne respire plus ; ouf ! Je **desserre** ma ceinture !*

ou

dé- à la place du préfixe : **ac-, at-** (« crocher » n'existe pas et « tacher » avec ce sens n'existe pas), marque le contraire.

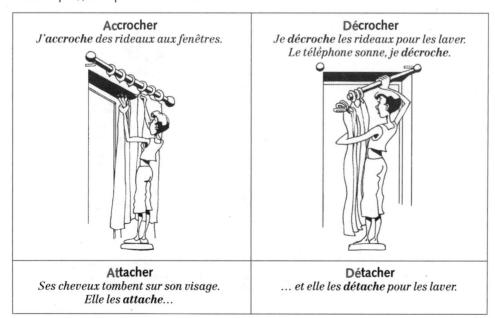

Accrocher	Décrocher
*J'**accroche** des rideaux aux fenêtres.*	*Je **décroche** les rideaux pour les laver. Le téléphone sonne, je **décroche**.*
Attacher	**Détacher**
*Ses cheveux tombent sur son visage. Elle les **attache**…*	*… et elle les **détache** pour les laver.*

dé- ou dés- + voyelle préfixe négatif forme aussi :

■ **Des noms et adjectifs**

À la mode	Démodé(e)
*Elle est toujours **à la mode**. Cette année,* *la couleur grise est **à la mode**,* *elle a un manteau gris.*	*« Une ceinture à ton jean ? Tu n'es pas* *à la mode, tu es **démodé** ! ».*
Ordre	**Désordre**
Philippe range les vêtements dans l'armoire, *il pose les livres sur le bureau ;* *la chambre est en **ordre**.*	*Dans la chambre de Julie, les vêtements* *sont sur une chaise. Les livres sont* *sur le sol ; la chambre est en **désordre**.*

On apprend par cœur !

Quelle vie !

*Elle plie et d**éplie** les pulls et les gilets*
*Elle accroche et d**écroche** les chemisiers*
*Elle attache et d**étache** les colliers !*
*Elle serre et des**serre** les ceintures*
*Elle place et d**éplace** les chaussures*
*Elle dit : « Ça, c'est à la mode, ça, c'est d**émodé** ! »*
Avec elle, il y a de l'ordre
*Après le d**ésordre**.*
Mais elle est fatiguée.
Voilà la vie malheureuse
D'une pauvre vendeuse.
Dans un magasin ou dans une boutique !
Est-ce que c'est comique
ou dramatique ?

3 • Les préfixes dé- et re-

Je fais une chose et je fais le contraire avec **dé-** → charger/**dé**charger.

Je fais une chose une autre fois avec **re-** → charger/**dé**charger/**re**charger.

Pique-nique au bord de l'eau !

1   *Aujourd'hui le temps est beau, magnifique,*
Alors, on **emballe** un poulet et du saucisson,*
*On **plie** la nappe, on **charge** la voiture.*
*On **met** dans le coffre un bateau, des ballons !*
5   *On part avec beaucoup de sacs…*
… Et on arrive au bord d'un lac.

charger

Bonjour, bonjour la nature !
*On **décharge** la voiture.*
*On **déballe** les affaires.*
10   *On **débouche** les bouteilles.*
*On **remplit** les verres.*
À la santé de l'univers !
*On **déplie** la nappe des pique-niques.*
*Quelle belle journée ! On **gonfle** le bateau pneumatique.*
15   *Les enfants le **dégonflent**, c'est comique !*
*On le **regonfle**, c'est magique !*

décharger

Des bateaux traversent le lac.
*Des gens **embarquent**, des gens **débarquent**.*
Des bébés pleurent, des enfants crient. Quel bruit* !
20   *Il y a des abeilles sur les fruits.*
Des chiens mangent le poulet découpé !
Ah, mais quelle journée* !
*Alors, on **replie** la nappe, on **rebouche** les bouteilles,*
*On **remet** le bateau dans le coffre. On chasse les abeilles,*
25   *On **recharge** la voiture*
*Et on **repart**. Adieu la nature !*
Adieu, le lac, le soleil brûlant* !
Adieu, les enfants mal élevés, les chiens gourmands* !

recharger

---

l. 2 : on = nous, un homme, les gens.
l. 19 : quel bruit : quel = adjectif exclamatif masculin singulier.
l. 22 : quelle journée : quelle = adjectif exclamatif féminin singulier.
l. 26 : brûlant(e) = très chaud(e).
l. 27 : gourmand(e) = qui aime manger beaucoup de bonnes choses.

On récapitule

Deux préfixes :

Un préfixe qui marque la négation :

dé- s'ajoute au verbe simple (*boucher/déboucher*).

dé- remplace un autre préfixe : le préfixe **en-** ou **em-** + b, m, p : *emballer/déballer* ; *embarquer/débarquer* (attention *baller* et *barquer* n'existent pas).

Un préfixe re- qui exprime :
– le retour à un état antérieur (*boucher/déboucher/reboucher*) ;
– la répétition (*dire/redire* ; *partir/repartir*) ;
– le renforcement, l'intensité (*remplir*).

ATTENTION ! re- + consonne (*repartir*) ;
r- + am-, em- (*ramener, remballer*), + an-, en- (*ranimer, renvoyer*),
ré- + a (*réagir*), + é (*réécrire* mais aussi *récrire*), + u (*réunir*),
+ o (*réorganiser*).

Ce prefixe ne s'ajoute pas a **tous** les verbes.

Ces préfixes forment :

■ **Des verbes**

Boucher	Déboucher	Reboucher
Des cheveux bouchent le lavabo.	*J'appelle un plombier. Il va déboucher le lavabo.*	*Les enfants sur la plage font des trous et ils les rebouchent.*
Charger	**Décharger**	**Recharger**
Les déménageurs chargent les meubles dans un camion.	*Ils arrivent dans l'autre appartement, ils déchargent le camion.*	*Demain, ils recommenceront, ils rechargeront et...*
Gonfler	**Dégonfler**	**Regonfler**
Je pars, je gonfle les pneus de la voiture.	*Je dégonfle le matelas pneumatique.*	*Je regonfle le pneu de ma bicyclette.*
Mettre		**Remettre**
J'ai froid, je mets mon manteau.		*Il enlève et remet ses lunettes tout le temps.*
Partir		**Repartir**
Le train part, il quitte la gare.		*Cinq minutes d'arrêt ! Attention, le train va repartir.*
Plier	**Déplier**	**Replier**
Je lave le linge. Quand il est sec, je le plie.	*Je sors un drap de l'armoire, je le déplie et je fais mon lit.*	*Quand j'ai lu le journal, je le replie.*

Emballer	Déballer	
*Dans les supermarchés, on vend des poulets déjà **emballés**.*	*Je **déballe** le poulet et je le mets au four.*	
Embarquer	Débarquer	
*L'avion décolle à 15 heures et vous **embarquez** à 14 h 15 précises, porte B5.*	*Le bateau arrive au port, les touristes **débarquent**…*	

ATTENTION !

Parfois, **dé-** n'est pas un préfixe et fait partie du verbe, comme dans **décider**.

Parfois, **dé-** est un préfixe, mais il n'est pas négatif, il a au contraire une valeur de renforcement, comme dans le verbe **découper** :

*Je **coupe** une fleur. Je **coupe** les pages d'un livre.*
*Je **découpe** de la viande. Je **découpe** un poulet.*
(Voir aussi : ***passer*** (aller d'un point à un autre)/***dépasser*** (laisser en arrière) :
    poser (mettre en place)/***déposer*** (poser une chose que l'on portait…)

On apprend par cœur !

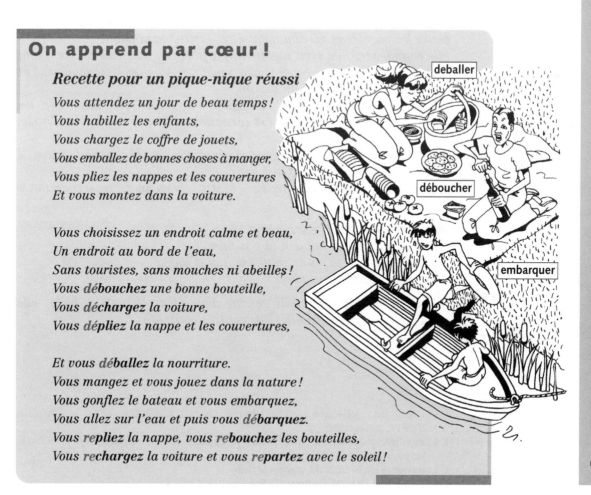

Recette pour un pique-nique réussi

Vous attendez un jour de beau temps !
Vous habillez les enfants,
Vous chargez le coffre de jouets,
Vous emballez de bonnes choses à manger,
Vous pliez les nappes et les couvertures
Et vous montez dans la voiture.

Vous choisissez un endroit calme et beau,
Un endroit au bord de l'eau,
Sans touristes, sans mouches ni abeilles !
*Vous **dé**bouchez une bonne bouteille,*
*Vous **dé**chargez la voiture,*
*Vous **dé**pliez la nappe et les couvertures,*

*Et vous **dé**ballez la nourriture.*
Vous mangez et vous jouez dans la nature !
Vous gonflez le bateau et vous embarquez,
*Vous allez sur l'eau et puis vous **dé**barquez.*
*Vous **re**pliez la nappe, vous **re**bouchez les bouteilles,*
*Vous **re**chargez la voiture et vous **re**partez avec le soleil !*

deballer

déboucher

embarquer

4 • Les préfixes in-, mal-, re-

Je caractérise une chose puis son contraire avec **in-** → capable/**in**capable.

Je caractérise une chose puis son contraire avec **mal-** ou **mé-** → heureux/**mal**heureux, content/**mé**content.

Je fais une chose une autre fois avec **re-** → commencer/**re**commencer.

Histoire d'une chanson

1 *Ann-Lynn, la jeune fille au pair anglaise, pense : « Je serai une vedette de la chanson. »*
*Tout le monde chante. Pourquoi pas elle ? Mais, pas de **chance** ! Elle chante faux* ! Quelle **mal**chance !*
5 *Alors, elle écrit une chanson. Est-ce qu'elle est **capable*** d'écrire une chanson en français ? Est-ce que c'est **possible** ou **im**possible ? Elle va écrire les paroles et un ami, peut-être, écrira* la musique.*
*Elle **commence**. Elle écrit une première phrase : « Le ciel est bleu, tout le monde est heureux, et moi je suis seule... » Ah, non, c'est mauvais ! Et*
10 *puis c'est **in**exact, elle a un copain.*
*Elle **re**commence : « Le ciel est bleu » et... ? Elle reste **im**mobile, les doigts sur l'ordinateur. Elle est **in**capable d'écrire une autre phrase. Cinq minutes, dix minutes...*

*Enfin elle tape : « Mon ami ne m'aime pas, je suis **mal**heureuse. » Nul, nul, nul, nul ! Ce n'est pas bon !*
Et puis tout à coup un mot arrive. « Matin », puis un autre, « chagrin. » et elle écrit :*

Matin chagrin, matin shampoing
Matin petit pain, matin je n'ai pas faim,
20 *Matin donne-moi la main, matin maths et latin,*
*Matin s'en va, matin **re**vient.*

*Elle **lit** et **re**lit le texte, elle corrige deux ou trois mots et voilà, elle n'est pas **mé**contente d'elle. Elle est très **contente** !*

---

l. 4 : chante faux : ici, « faux » est un adverbe. Chanter faux = chanter un do à la place d'un ré, par exemple.

l. 5 : être (in)capable de + *infinitif*. Je suis (in)capable de parler français = je peux (ou je ne peux pas) parler français.

l. 7 : « écrira » est le futur du verbe « écrire ».

l. 16 : chagrin = c'est un sentiment. « Son mari part, elle a du chagrin ».

On récapitule

Trois préfixes :

in- (ou **im-** devant **m**, **b**, **p**, ou **ir-** devant **r**, ou **il-** devant **l**) préfixe négatif qui forme généralement des **adjectifs** ou des **noms** (*incapable, impossible*) ;

mal- (ou **mé-**) préfixe négatif qui forme **des noms** ou **des adjectifs** (*malchance, mécontent*) ;

re- préfixe de la répétition qui forme **des verbes, des noms et des adjectifs** (*relire*).

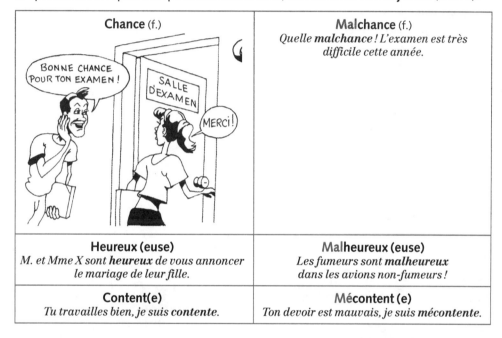

Chance (f.)	Malchance (f.)
	*Quelle **malchance** ! L'examen est très difficile cette année.*
Heureux (euse) *M. et Mme X sont **heureux** de vous annoncer le mariage de leur fille.*	**Malheureux (euse)** *Les fumeurs sont **malheureux** dans les avions non-fumeurs !*
Content(e) *Tu travailles bien, je suis **contente**.*	**Mécontent (e)** *Ton devoir est mauvais, je suis **mécontente**.*

Capable	Incapable
*Elle est **capable** de parler six langues.*	*Elle est **incapable** de faire une addition.*
Exact (e) *2 + 2 = 4. L'addition est **exacte**.*	**Inexact (e)** *2 + 2 = 5. L'addition est **inexacte**.*
Mobile *Ses yeux bougent tout le temps, ils sont très **mobiles**.*	**Immobile** *Le photographe dit : « Vous restez **immobile**, je fais la photo. »*
Possible *Perdre un kilo en une semaine ? Oui, c'est tout à fait **possible**.*	**Impossible** *Perdre cinq kilos en une semaine ? Non, ça, c'est **impossible**.*

Commencer	Recommencer
*Le cours **commence** à 9 heures.*	*Non, ce n'est pas bon, **recommence** !*
Lire *Je **lis** un roman policier.*	**Relire** *Je **relis** souvent les livres que j'aime.*

En avant la musique !

Ah ! la musique !
C'est magique !
Le chef met ses lunettes
Et lève sa baguette.
Quelle chance !
On commence !
Ah ! quel mouvement !
Mais le chef est **mé**content.
Quelle **mal**chance !
On **re**commence !
Non, ça ne va pas !
« Vous êtes **in**capables de faire la la la la ! »
Mon Dieu, c'est affreux !
Les musiciens sont **mal**heureux.
C'est horrible ! C'est terrible !
C'est **im**possible !
Ah ! la musique !
C'est magique ?

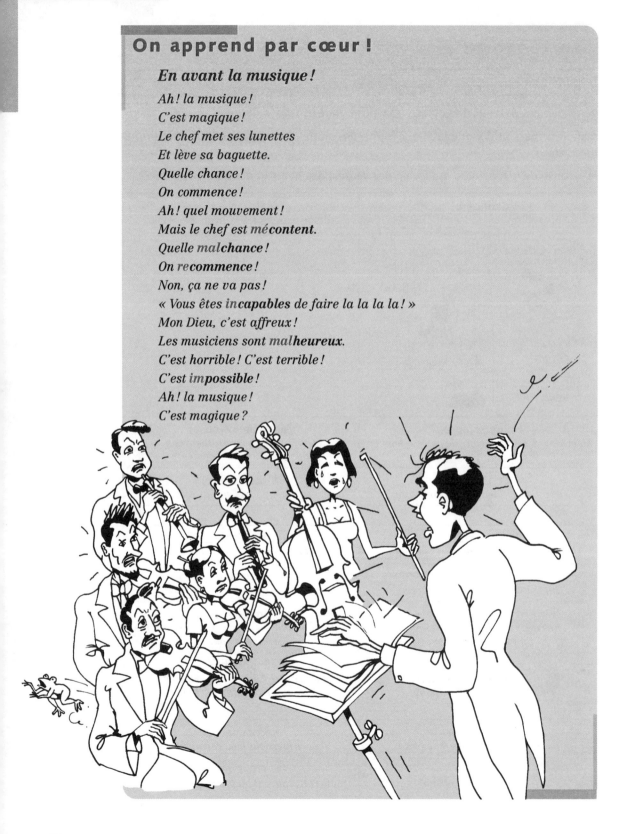

5 • Les préfixes dé-, in-, re-...

Je fais une chose, je fais le contraire avec **dé-** → placer/**dé**placer.

Je caractérise une chose puis son contraire avec **dé-** (ou **dés** + voyelle) → agréable/**dés**agréable.

Je caractérise une chose puis son contraire avec **in-** (ou **im-** + b, m, p) → utile/**in**utile, patient/**im**patient.

Je fais une chose puis je la modifie avec : **ad-** (se transforme en **ap-** + p) → porter/**ap**porter, **en-** (ou **em** + b, m, p) → lever/**en**lever, porter/**em**porter, **re-** → placer/**rem**placer et **trans-** → porter/**trans**porter.

Je fais une chose une autre fois avec **re-** → voilà/**re**voilà.

Histoire d'une chanson (suite et fin)

1   *Alors Ann-Lynn va au Zénith, une grande salle de concert. Il y a un concert de jazz ce soir-là. Elle va montrer sa chanson à un ami saxophoniste.*

*Les techniciens sont là. Les musiciens arrivent. Ils **portent** leur instrument de musique sur le dos : guitare, saxophone... La salle est pleine.*

5   *Sur la scène, des gens **apportent** des chaises, les **placent** ici ou là, **déplacent** le piano, le **transportent** au fond de la scène. Les techniciens **branchent** ou **débranchent** des haut-parleurs, lèvent ou baissent un micro. Ils règlent la sono* (ouille, quel son **désagréable** !). Les spectateurs sont là ; les uns sont **patients**, les autres sont **impatients**. Ils crient, ils frappent*

10   *dans les mains. Ann-Lynn montre sa chanson au saxophoniste. « C'est bien, mais c'est trop court, c'est **incomplet**. Ajoute* quelques phrases. ». Elle **emporte** sa chanson et va dans un café. Et elle écrit :*

Il est midi, midi cantine, midi radis,
salami, hachis, ravioli,
15   *midi bon appétit !*

C'est le soir, il pleut, ciel arrosoir,
trottoir miroir, comptoir petit noir*,
*bonsoir, bonsoir et au **revoir** !*

*Elle **rapporte** la chanson au musicien. Elle est **inquiète**. « Me **revoilà** !*
20   *Ça va ? » Le musicien lit et dit : « Ça va, mais **enlève*** un ou deux mots **inutiles** et **remplace*** le mot "hachis". Je n'aime pas ce mot. » Il relit la chanson et il dit : « Bof, tu peux tout enlever. » C'est la fin d'un rêve !*

---

l. 8 : La sono : mot familier pour la sonorisation = ce sont les appareils qui diffusent la musique.
l. 11, 20 et 21 : ajoute... enlève... remplace... sont des impératifs. L'impératif est le mode de
l'ordre ou des conseils.
l. 17 : petit noir = un café.

On récapitule

Plusieurs préfixes :

Des préfixes qui marquent le mouvement :
ad- devant p devient **ap** = vers → *apporter* (porter vers) ;

trans- = à travers → *transporter* (porter à travers) ;

en- (ou em- + **b, m, p**) = loin de → *enlever*, *emporter* (lever loin de, porter loin de).

Des préfixes qui marquent la négation :
dé- (ou dés- + **voyelle**) → *désagréable* ;

in- (ou im- + **b, m, p** ; ou il- + **l** ; ou ir- + **r**) → *incomplet*, *impatient*, *irrégulier*.

Un préfixe qui marque la répétition ou le retour à un état antérieur :
re- (ou r- + **voyelle**) → *rapporter*.

Ces préfixes peuvent former :

■ **Des verbes**

Porter
*Au restaurant, les serveurs **portent** un tablier blanc.*

Apporter	**Emporter**
*Le serveur **apporte** les plats.*	*Il **emporte** la carafe d'eau. Elle est vide.*
Rapporter	**Transporter**
*Il **rapporte** la carafe pleine.*	*Ce train ne **transporte** pas de voyageurs.*

Lever	**Enlever**
*Il est 7 heures du matin, je **lève** le store.*	*Le repas est fini, j'**enlève** les assiettes et les verres.*

Brancher	**Débrancher**
*Le pantalon est sec. Je **branche** le fer et je repasse le pantalon.* 	*Le pantalon est repassé ? Alors, je **débranche** le fer !* 
Placer	**Déplacer**
*Je **place** le vase au milieu de la table.*	*Tu **déplaces** le vase ? Il est très bien sur la table !*

Remplacer
*Ma voiture est vieille, elle ne roule plus. Je vais la **remplacer**.*

■ Des adjectifs

Agréable	Désagréable
*Il fait beau aujourd'hui, il ne fait ni chaud ni froid, le temps est **agréable**.*	*Ce garçon n'est pas très gentil. Personne ne l'aime, il est **désagréable** avec tout le monde.*
Patient(e)	**Impatient(e)**
*Tu m'attends, s'il te plaît ! Tu es **patient**, je reviens dans cinq minutes.*	*Les enfants sont souvent **impatients**. Ils veulent tout, tout de suite.*
Complet, complète	**Incomplet, incomplète**
*Dans ma bibliothèque, j'ai les œuvres **complètes** de Marcel Proust.*	*Cette vieille dame fait une collection de flacons de parfum de Guerlain. Mais sa collection est **incomplète**. Il manque un flacon des années 20.*
	Inquiet, inquiète
	*Une mère n'est jamais tranquille ; elle est toujours **inquiète** pour ses enfants.*
Utile	**Inutile**
*Aujourd'hui, un ordinateur est très **utile**.*	*Aujourd'hui, une machine à écrire est **inutile**. L'ordinateur la remplace.*

On apprend par cœur !

On fait de la musique !

*Il **porte** son saxo sur le dos*
*Et l'**apporte** au studio.*
Mais il n'y a pas de sono
Alors rendez-vous au bistrot !
*On **emporte** un banjo*
*Et on **transporte** les guitares et le piano.*
Un musicien joue un tango en solo.
Et puis, on joue de la musique folklo
et de la musique disco.
On chante en duo,
Bravo, bravo !
*Et on **rapporte** au studio*
les instruments, le piano.
Allez, tchao et à bientôt !

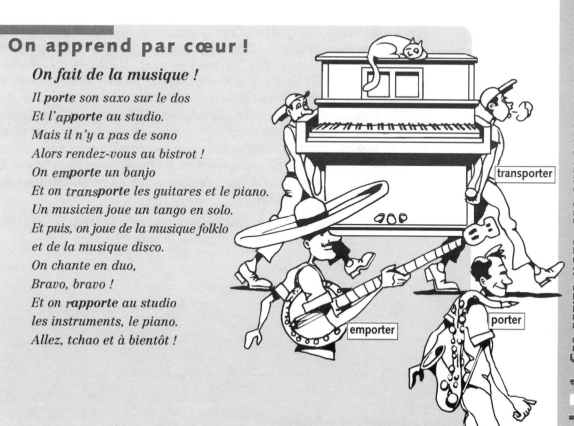

transporter

emporter

porter

6 • Les préfixes bi-, en-, re-...

Je fais une chose et je la modifie avec **en-** (ou **em** + b, m, p) → lever/**en**lever.

Je caractérise une chose avec **bi-** → **bi**cyclette, **contre-** → **contre**-attaque, **para-** → **para**pluie, **super-** → **super**star, **sur-** → **sur**vêtement, **tri-** → **tri**colore.

Je fais une chose avec effort, avec **re-** (ou **r-** + voyelle) → attraper → **r**attraper.

Un match de basket

1 *Ann-Lynn est sportive. Elle fait de la **bi**cyclette, du jogging. Le dimanche, elle joue au basket dans une équipe de filles. Elle arrive toujours sur le terrain en **sur**vêtement. Elle l'**en**lève* avant le match et le **re**met après le match.*

5 *Ce dimanche est un jour important. Tous les clubs de la ville sont là. Les joueuses portent des maillots différents. Les uns sont **bi**colores (rouge et blanc ou bleu et noir ou vert et rouge), les autres **tri**colores (vert, jaune et rouge ou bleu, blanc, jaune...). Quel beau soleil! Le match commence. Une joueuse **lève** le ballon au-dessus de sa tête et le*
10 ***lance** à une autre joueuse. Celle-ci l'**attrape**, le lâche, le **r**attrape et le **re**lance à une troisième. Les joueuses courent, bondissent. Le ballon va, vient, **re**vient. Il monte, passe à travers le panier, descend, puis il **re**monte, **re**descend, **re**passe et **re**bondit sur le sol. Le match est rapide. **Attaque** de la première équipe, **contre**-attaque de la seconde.*
15 *Une joueuse tombe, on la **re**lève. Elle a mal à la jambe, on l'**em**mène hors du terrain et on la **ra**mène au vestiaire. Une remplaçante* entre dans l'équipe. Et la partie **re**commence, les joueuses **re**partent sur le terrain. Qui va gagner? Chaque équipe a ses **super**championnes, chaque équipe a ses **super**stars.*

20 *Mais qu'est-ce que c'est que ça? De gros nuages, le tonnerre et voilà la pluie. Ouvrons les **para**pluies et adieu le match!*

---

l. 3 : l'enlève : l' = le survêtement.
l. 16 : Un(e) remplaçant(e) = une personne qui remplace une autre personne.

On récapitule

Nous avons ici des préfixes qui marquent :

– la répétition, le retour à un état antérieur, le renforcement
re- → *recommencer, relever, rebondir* ;

– la quantité et l'intensité
bi- = deux, → *bicyclette, bicolore*
tri- = trois, → *tricolore*
super- → *superchampion(ne), superstar* ;

– la position au-dessus
sur- → *survêtement* ;

– l'opposition
contre- → *contre-attaque*
para- → *parapluie* (contre la pluie) ;

– l'éloignement
en- → *enlever, emmener*.

Ces préfixes peuvent former :

■ **Des verbes**

Attraper	Rattraper
*Mon mari a **attrapé** deux poissons dans la rivière et nous les avons mangés.*	*Attention ! Le verre va tomber ! Ouf, je le **rattrape**.*
Bondir	**Rebondir**
*Le lion **bondit** sur la gazelle.*	*La balle **rebondit** sur le sol.*
Commencer	**Recommencer**
*Le concert **commence** à 7 heures du soir.*	*Je ne suis pas content, je **recommence** !*
Descendre	**Redescendre**
*Elle habite au sixième étage sans ascenseur. Elle monte et **descend** à pied.*	*Attends-moi, je monte chercher mon parapluie et je **redescends**.*
Lancer	**Relancer**
*Je **lance** la balle. Attrape-la.*	*J'attrape la balle et je la **relance**.*

Lever	Enlever	Relever
*Un peu de gymnastique ! **Levez** les bras, baissez les bras, **levez**-les…*	*Il fait chaud, j'**enlève** mon manteau.*	*L'enfant tombe. Sa mère le **relève**.*
Mener	**Amener/Emmener**	**Ramener**
*L'équipe de la ville **mène** par deux à zéro contre l'équipe adverse.*	*J'**amène** les enfants au cours de danse. Je les **emmène** au musée.*	*J'**emmène** les enfants au cinéma, je les **ramène** à la maison avant le dîner.*

Mettre	Remettre
*Je **mets** un pull.* *Je **mets** mes livres dans mon sac.*	*J'adore ce pull. Je le **remets** aujourd'hui.* *Je **remets** ce livre à sa place.*
Monter	**Remonter**
*Je **monte** sur un banc pour voir le défilé.* *Je **monte** au troisième étage de la tour Eiffel.*	*Attends-moi, je descends chercher du pain* *et je **remonte**.*
Partir	**Repartir**
*Le train pour Bruxelles **part** à 14 heures.*	*Le train arrive à 15 heures et **repart*** *à 16 heures.*
Passer	**Repasser**
*Je **passe** sur un pont pour rentrer chez moi.* *Le temps **passe**.*	*Le jeune homme passe et **repasse*** *devant nous.* *La chemise est sèche. Je la **repasse**.*
Venir	**Revenir**
*Allo, Jean-Pierre, **viens** me chercher.* *Ma voiture est en panne.*	*Elle part pour l'Angleterre,* *mais elle **revient** demain.*

■ Des adjectifs

Couleur (f.)	Bicolore
*Le drapeau japonais est de deux **couleurs**.*	*Le drapeau japonais est **bicolore** ;* *il est blanc et rouge.*
Couleur (f.)	**Tricolore**
*Le drapeau français est de trois **couleurs**.*	*il est **tricolore**, il est bleu, blanc, rouge.*

■ Des noms

	Bicyclette (f.)
	*Je fais de la **bicyclette** tous les dimanches.*
Attaque (f.)	**Contre-attaque** (f.)
*Belle **attaque** de l'équipe de football* *de Paris...*	*...mais voilà une **contre-attaque*** *de Monaco.*
Pluie (f.)	**Parapluie** (m.)
*Quelle **pluie** ! Il pleut et...*	*...je n'ai pas de **parapluie** !*
Champion(ne)	**Superchampion(ne)**
*Elle est **championne** d'Europe* *du 100 mètres crawl.*	*Ce joueur de tennis est excellent ;* *c'est un **superchampion**.*
Star (f.)	**Superstar** (f.)
*Je serai une **star** ! star au cinéma,* *star de la chanson, une **star** du sport.*	*Ce footballeur est une **superstar**.* *Tous les enfants de son pays le connaissent.*
Vêtement (m.)	**Survêtement** (m.)
*Elle achète ses **vêtements** dans une boutique* *du quartier.*	*Il fait froid. Les joggeurs courent* *en **survêtement**.*

On apprend par cœur !

Dix joueurs sur un terrain
Ça fait vingt mains.
Un joueur lance le ballon.
Attention, attention !
*Un autre le **rattrape**, le **relance** !*
Ouah ! Quelle puissance !
Chacun est à sa place !
*Le ballon passe et **repasse**,*
*Il monte et **redescend**.*
Quel talent !
Il va, vient,
Bravo, c'est très bien !
*Il **revient** et **rebondit**.*
Tiens ! Le match est fini !

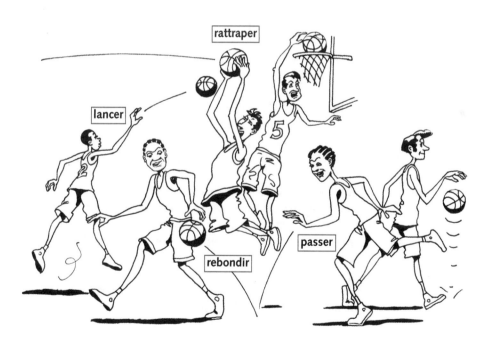

lancer · rattraper · rebondir · passer

7 • Les préfixes ad-, con-, re-...

Je fais une chose puis je la modifie avec :

ad- (ou ap- + p) → prendre/apprendre
con- (ou com- + b, m, p) → prendre/comprendre
dé- → emménager/déménager
en- (ou em- + b, m, p) → emménager

Je caractérise une chose avec :
archi- (archiplein) ; extra- (extrafin(e) ; extraordinaire) ; hyper- (hypermarché) ;
in- (ou im + b, m, p), (imperméable, impoli(e)) ; mi- (mi-temps) ; micro- (micro-
ordinateur) ; mini- (minibar) ; multi- (multicolore) ; non- (non-fumeur) ; super-
(supermarché) ; télé- (téléphone, télévision) ; ultra- (ultrarapide, ultrachic).

Je marque le retour en arrière avec re- → venir/revenir.

(voir les suffixes p. 72-73)

Indiscrétion

1 *Vendredi soir : Ann-Lynn **prend** son sac de voyage et va à la gare du
   Nord. Elle **rentre** à Londres chez ses parents. Elle voyage en Eurostar,
   le train **ultrarapide** entre Paris et Londres. Elle le **reprendra** dimanche
   soir pour **revenir** à Paris.*

5 *Le train est **archiplein**. Il est **non-fumeurs**. Il y a des Français, des
   Anglais et aussi des Européens et des Africains aux vêtements **multi-
   colores**. Certains ont un **micro-ordinateur** portable et travaillent.
   À côté d'Ann-Lynn il y a une femme. Elle mange une tablette de choco-
   lat **extrafin**. Elle interroge Ann-Lynn : « Est-ce qu'il y a un **minibar***

10 *dans ce train ? J'ai soif ! » Ann-Lynn ne sait pas. Cette dame est
   bavarde, elle parle beaucoup et pose des questions à Ann-Lynn.
   – D'où êtes-vous ? Que faites-vous ? Où habitez-vous ? Vous travaillez ?
   Ann-Lynn est **polie**, elle répond à ses questions.
   – Je suis anglaise, j'**apprends** le français. J'habite dans le XVᵉ arron-*

15 *dissement, et je travaille à **mi-temps** dans un **hypermarché**.
   – Ah, mais c'est **extraordinaire** ! La semaine prochaine, je **déménage**.
   Je quitte mon appartement et j'**emménage** dans le XVᵉ arrondisse-
   ment, près d'un **supermarché** ! Mais pourquoi apprenez-vous le français ? Vous le **comprenez** et vous le parlez bien !*

20 *– Je perfectionne le vocabulaire.
   – J'aimerais bien vous revoir à Paris ! Vous **viendrez** chez moi et j'irai
   chez vous. Quel est votre numéro de **télé**phone portable ?
   Ann-Lynn pense : cette dame est **impolie**. Elle dit :
   – Désolée, je n'ai pas de téléphone portable, et elle cache très vite son*

25 *téléphone dans la poche de son **imperméable**.*

On récapitule

Nous avons des préfixes qui marquent :

– le mouvement
ad- (ou **ap-** + p) = **vers** → *apprendre* = prendre vers, prendre en soi
dé- = **hors de** → *déménager* = transporter hors de la maison
en- (ou **em** + b, m, p) = **dans** → *emménager* = transporter dans la maison
ATTENTION ! « ménager » n'existe pas !

– l'association
con- (ou **com** + b, m, p) = **avec** → *comprendre* = prendre avec soi, voir ce que cela signifie

– la répétition et le retour en arrière
re-   *reprendre* (prendre de nouveau), *revoir* (voir de nouveau), *revenir* (venir là où on était).

Ces préfixes peuvent former :

■ **Des verbes**

Déménager	**Emménager**
*Je **quitte** mon appartement, je **déménage**.*	*J'**emménage** dans un autre appartement.*

Prendre
*Je **prends** mon sac et je sors. Je **prends** le train pour aller à Londres.*

Apprendre	**Comprendre**	**Reprendre**
*J'**apprends** le français.*	*Je ne **comprends** pas*	*Ce gâteau est très bon.*
*J'**apprends** la musique.*	*les Français, ils parlent*	*Je **reprends** un morceau.*
	très vite.	*Je **reprends** le train ce soir.*

Venir	Revenir
– Bonjour, Ann, pourquoi tu ne **viens** plus chez moi ? – Oh, je n'ai pas beaucoup de temps ; j'irai te voir bientôt.	Je quitte l'Angleterre pour la France, mais je **reviendrai** en Angleterre.
Voir	**Revoir**
De ma fenêtre, je **vois** la mer.	Je **revois** souvent mes amis d'école.

Nous avons des préfixes qui marquent :

– l'excès, l'exagération
archi- = très → *archi(plein[e])*
extra- = très → *extra-(fin[e])*, *extra-(fort[e])*
ultra- = très → *ultra(rapide)*, *ultra(court-[e])* ;

– une position
extra- = en dehors de → *extraordinaire* (en dehors de l'ordinaire) ;

– la quantité
multi- = nombreux → *multicolore* (de plusieurs couleurs) ;

– la négation
in- (ou **im** + b, m, p) → *impoli(e)* (qui n'est pas poli[e]).

Ces préfixes peuvent former :

■ **Des adjectifs**

Plein(e)	Archiplein (e)
Il y a du monde dans le train, le train est **plein**.	Il y a beaucoup de monde dans le train, le train est **archiplein**.
Fin(e)	Extrafin (e)
J'achète toujours des petits pois fins ou très **fins**.	Moi, je préfère, les petits pois **extrafins**.
Rapide	Ultrarapide
Ce train est **rapide**, il quitte Paris à 8 heures du matin et il est à Bruxelles à 10 heures.	Ce train est **ultrarapide**. Il quitte Paris à 8 heures du matin et il est à Bruxelles à 9 heures.
Couleur	Multicolore
Quelle est ta **couleur** préférée ? C'est le bleu.	C'est un beau jardin ! Il y a des fleurs rouges, bleues, jaunes, blanches, roses, c'est un jardin **multicolore**.
Poli(e)	Impoli (e)
Le petit garçon dit « bonjour », « merci », « s'il vous plaît », c'est un petit garçon **poli**.	Cette jeune fille ne dit pas « bonjour », « merci », « s'il vous plaît ». Elle est **impolie**.

Nous avons aussi des préfixes qui marquent :

– la supériorité
super- = très grand → *un supermarché, une superproduction*
hyper- = très, très grand → *un hypermarché* ;

– la petitesse
micro- = très petit → *un micro-ordinateur*
mini- = très petit → *un minibar* ;

– la distance
télé- = au loin → *téléphone, télévision* ;

– la quantité
mi- = moitié → *le mi-temps, la mi-temps, à mi-temps* ;

– la négation
in- (ou im + b, m, p) → *imperméable*
non- → *non-fumeur(s)*.

Ces préfixes peuvent former :

■ **Des noms**

Ordinateur (m.) *Ton **ordinateur** est un Mac ou un PC ?*	**Micro-ordinateur** (m.) *J'ai un **micro-ordinateur**. Je voyage beaucoup et c'est plus pratique.*
Bar (m.) *Le soir, elle aime bien aller dans un **bar** pour boire un verre et rencontrer des amis.*	**Minibar** (m.) *Dans ma chambre d'hôtel, j'ai un **minibar**. Il y a des chips, de la bière, de l'eau…*
Temps (m.) *Je n'ai pas le **temps** d'aller au cinéma. J'ai beaucoup de travail.*	**Mi-temps** (m., f.) *La **mi-temps** au football dure vingt minutes.*
Perméable (attention, c'est un adjectif) *Cette terre est **perméable**. Elle boit l'eau.*	**Imperméable** (m.) *Il pleut, je prends mon **imperméable**.*
Fumeur (m.) *Dans les cafés, il y a encore des espaces **fumeurs**.*	**Non fumeur** *Toutes les voitures du TGV (train à grande vitesse) sont maintenant **non-fumeurs**.*
Marché (m.) *Tous les dimanches il y a un **marché** sous le métro et j'achète des fruits, des légumes, du fromage.*	**Hypermarché** (m.) *On trouve tout dans les **hypermarchés**, des fruits, des légumes, du papier, des verres…*
	Supermarché (m.) *Je vais au **supermarché**, j'achète des fruits, des légumes, du fromage, du chocolat, de l'eau minérale…*
	Téléphone (m.) *Mon numéro de **téléphone** est :* *00.1.212.306.407*

On apprend par cœur !

Attention au départ !

Des voyageurs, des voyageurs ! Combien ?
Cinquante, cent, deux cents, trois cents ?
Dans un train rapide comme le vent,
Dans un train ultrarapide et archiplein,
Voilà un voyageur
Avec son micro-ordinateur.
Voilà une jeune fille : elle pleure !
Un voyageur la pousse ; il porte un imperméable.
Quel homme désagréable !
Dans l'Eurostar il y a des gens polis,
Des gens impolis,
Des fumeurs et des non-fumeurs,
Des lecteurs, des rêveurs.
Des voyageurs partent et reviendront.
Des voyageurs déménagent
Et ne reverront
Ni leur ville ni leur village !

Dans l'Eurostar est-ce qu'il y a un minibar ?
Un piano-bar ?
Un supermarché ?
Un hypermarché ?
Mais non
Voyons !
Vous rêvez !

8 • Les préfixes ad-, con-, im-...

Ces petits mots bizarres...

1 *Une étudiante américaine demande à Ann-Lynn :*
– Tu parles bien le français, alors, explique-moi, s'il te plaît, tous ces
mots bizarres ! J'entends dans les classes de français des mots très,
très étranges : adverbe, conjonction, préposition, pronom, imparfait,
5 *etc. Mais qu'est-ce que c'est ?*
– Écoute, ce n'est pas difficile.
Qu'est-ce qu'il y a dans le mot **ad**verbe, *par exemple : il y a* **ad-**, *un*
préfixe qui veut dire : **vers**, *et le mot* **verbe**. *Et donc un* **adverbe** *est un*
mot qui est **ajouté** *au verbe, ou qui est* **à côté d'un** *autre mot (adjectif*
10 *ou adverbe).*
Qu'est-ce qu'il y a dans le mot **pro**nom : *il y a le préfixe* **pro-** *qui veut*
dire **à la place de** *et le mot* **nom**, *donc le pronom est un mot que je*
mets à **la place du** *nom,* **pour le** *nom !*
Qu'est-ce qu'il y a dans le mot **pré**position : *il y a le préfixe* **pré-**,
15 **devant** *et le mot* **position** !
Une préposition est un mot qui se place **avant**, **devant** *un nom ou un*
pronom ou un verbe à l'infinitif.
– Et une **con**jonction ?
– C'est une expression qui joint, qui attache un mot **avec un autre** *ou*
20 *un groupe de mots* **avec un autre** *groupe de mots.*
*– Et l'***im**parfait ?
– C'est un temps qui **n'est pas** *parfait, qui* **n'est pas** *achevé.*
– Et un **pré**fixe ?
– C'est un petit mot placé **devant** *un autre mot.*
25 *– Et le* **suf**fixe ?
– C'est un petit groupe de lettres placé après une racine. Par exemple,
dans le mot **américaine**, *-aine est un suffixe placé après la racine*
améric-.
Tu vois, tu peux comprendre toute la grammaire française, ou
30 *presque, avec ces petits mots, les* **pré**fixes.
– Oh, mais c'est vrai, je comprends tout, maintenant, c'est très facile !

On apprend par cœur !

La ronde des préfixes

*Voici un ad**verbe***
Et où est le verbe ?
*Attention à la con**jonction** !*
La voilà dans la leçon.
Elle fait la liaison.

*Et la pré**position** ?*
Qu'est-ce qu'elle fait ?
Elle est occupée.
Elle fait entrer un verbe, un nom
…Ou un pronom.
*Et le pro**nom**, qu'est-ce qu'il fait ?*
Mais il remplace le nom !
*Et l'im**parfait** ?*
Ah ! l'imparfait !
Il n'est vraiment pas parfait.

2 CES QUELQUES LETTRES QUI CHANGENT TOUT

1 • Les suffixes -ain, -ais, -an...

Je passe du pays à l'habitant avec ces quelques lettres : -ain(e) roumain(e), -ais(e) irlandais(e), -an(e) kenyan(e), -and(e) allemand(e), -c(-cque) grec, grecque, -c(que) turc, turque, -éen(ne) guinéen(ne), -ien(ne) norvégien(ne), -in(e) argentin(e), -ois(e) québécois(e), -ol(e) espagnol(e)...

D'où êtes-vous ?

1 *Premier jour de la première classe de français. Le professeur demande à chaque étudiant son nom et sa nationalité. Il y a quinze étudiants.*
   – Mademoiselle ! Quel est votre nom, quelle est votre nationalité ?
   *– Je m'appelle Natacha, je suis de Russie, je suis **russe**.*
5 *– Et vous, monsieur ?*
   *– Je m'appelle John, je viens des États-Unis, je suis **américain**.*
   *– Moi, monsieur, je m'appelle Mary, je viens aussi des États-Unis et donc je suis **américaine**.*
   *– Et moi, je m'appelle Justina, je suis de Pologne, je suis **polonaise** et*
10 *maintenant je suis **européenne**, comme Élena, mon amie **lettone**.*
   *– Moi, c'est Ali, je suis du Liban, je suis **libanais**.*
   *– Je m'appelle Yu-Ming, je viens de Chine et je suis **chinoise**.*
   *– Moi, c'est Andrea, et je viens du plus beau pays du monde, l'Italie, et je suis **italien** !*
15 *– Non, le plus beau pays du monde, c'est mon pays, le Brésil ! Je m'appelle Maria, je suis **brésilienne**. Je suis de Rio.*
   *– Vous ne connaissez pas l'Espagne ! dit Letitia, une étudiante **espagnole**.*
   *– Et vous ne connaissez pas la Grèce, dit Yannis, un grand garçon **grec**.*
20 *– Moi aussi je suis **grecque**, dit Aphrodite. Mon pays est très beau.*
   *– Est-ce que vous connaissez les grandes plaines de l'Argentine ? dit Pablo, l'étudiant **argentin**.*
   *– Ah, mais la Turquie est aussi un très beau pays, dit Mehemet, un jeune étudiant **turc**. C'est vrai, dit Haydée, sa camarade **turque**.*
25 *– Voilà la conclusion, dit le professeur : vous avez deux amours, votre pays et Paris.*

On récapitule

Le suffixe est un groupe de lettres qu'on ajoute à la fin d'un mot pour former des adjectifs, des noms, des verbes, des adverbes.

Les suffixes qui marquent l'origine.

Les plus fréquents sont **-ien/-ienne** et **-ais/-aise**.

-ien/ienne	-ais/-aise
Je viens d'Algérie, je suis algérien, je suis algérienne. Je viens d'Australie, je suis australien, je suis australienne. Je viens d'Iran, je suis iranien, je suis iranienne. Mon pays est le Chili, je suis chilien, je suis chilienne. Je suis du Laos, je suis laotien, je suis laotienne. Je suis né en Lituanie et je suis lithuanien. Je suis aussi lithuanienne et nous sommes des Européens.	*Mon pays est l'Angleterre, je suis anglais, je suis anglaise. Je viens du Cameroun, je suis camerounais, je suis camerounaise. Moi je suis d'Helsinki, en Finlande, je suis finlandais, je suis finlandaise. Je suis de Tokyo, au Japon, je suis japonais, je suis japonaise.*

-e	-ois/-oise	-ain/-aine
Je viens de Belgique, je suis belge, mon ami est de Bulgarie, il est bulgare ; mes cousins sont de Slovaquie, ils sont slovaques, j'ai une tante en Suisse, elle est suisse.	*– D'où est Karin ? Elle vient du Danemark ? Elle est danoise ? – Non, elle est de Suède, elle est suédoise.*	*Julio vient de Cuba, il est cubain, mais Igor est roumain, il est de Bucarest, en Roumanie.*

-in/-ine	-an/-ane	-éen/-éenne
Ignacio est philippin, il habite aux Philippines.	*– Qui habite en Afghanistan ? – Ce sont les Afghans et les Afghanes.*	*– D'où viens-tu ? – De Panama. Je suis panaméenne*

Les moins fréquents :

-and/-ande	-ol/-ole
Karl est estonien ? Non, il est allemand. Il vient d'Allemagne.	*José est né en Espagne, il est espagnol.*
-c/-cque ou -que *Alexis est d'Athènes, il est grec, Tina aussi est grecque. Lui, il est turc, il vient d'Istanbul. Elle aussi est turque.*	**-k** *Elle vient d'Ouzbékistan, un pays d'Asie centrale où on parle une langue turque. Elle est ouzbek.*

On apprend par cœur !

Identité

Est-ce qu'Alain
est **américain**?
Non, il est **jamaïcain**.
Est-ce que Fernand
est **allemand**?
Non, il est **flamand**.
Est-ce qu'Émilien
est **cambodgien**?
Non, il est **canadien**.
Est-ce que Paul
est **espagnol**?
Non, il est **mongol**.
Est-ce qu'Arman
est **afghan**?
Non, il est **birman**.
Est-ce que Justin
est **philippin**?
Non, il est **argentin**.
Est-ce que François
est **luxembourgeois**?
Non, il est **Zaïrois**.

Qui est **portugais**,
soudanais,
taïwanais,
angolais,
antillais,
anglais,
ou **français**?
C'est René!

2 • Les suffixes -teur, -ture

Je passe de la profession (suffixe en -ture, ou suffixe zéro) à la personne avec ces quelques lettres : -eur (agriculteur, -trice), ou suffixe zéro.

Que faites-vous?

1 **Le professeur** – *Aujourd'hui je pose une autre question : quelle est votre profession ou quelle sera votre profession. Ali?*

*– Mon père a une ferme et je serai **agriculteur**, l'**agriculture**, c'est très utile.*

5 *– C'est vrai; et vous, John?*

*– Moi, je suis **sculpteur**, je fais de la **sculpture**, comme Rodin. J'aime l'art!*

– Mary?

*– Mon père est **horticulteur** (on dit aussi jardinier); j'aime les fleurs,*
10 *les arbres fruitiers, j'aime l'**horticulture** et je serai **horticultrice**. Mais j'aime aussi la **peinture**, je peins des fleurs, je suis **peintre**, comme Picasso.*

– Et vous, Maria?

*– Moi, je suis dans une école de **puériculture**. Je serai **puéricultrice***
15 *à Rio et je garderai et je soignerai les petits enfants.*

– Et vous Natacha?

*– J'aimerais être **traductrice**, j'aimerais traduire des écrivains français en russe. Mais je suis **architecte**, l'**architecture** est mon métier. Je voudrais faire de belles maisons.*

20 *– À vous, Yannis, quel est votre métier?*

*– Moi, je suis **acteur** et ma femme est **actrice**. Nous jouons souvent ensemble au théâtre.*

– Et vous, Yu-Ming?

*– Moi, je serai un jour **présentatrice** à la télé. Je présenterai des émis-*
25 *sions importantes et tout le monde me reconnaîtra.*

– Et vous, Pablo?

*– Moi, je suis **dessinateur** de bandes dessinées (BD). Ma bande dessinée sera un jour aussi célèbre qu'Astérix et Obélix.*

On récapitule

Les suffixes qui indiquent le métier ou l'agent.

Art, métier, technique (suffixe en -ture)	La personne (suffixe en -teur/-trice)
l'agriculture (f.) *Ce pays n'a pas d'industrie, mais il exporte les produits de son **agriculture**, le blé, les fruits, les légumes…*	**agriculteur, -trice** *J'aime la campagne, le travail dans les champs, je serai **agriculteur**.*
l'horticulture (f.) *Je vais dans une école d'**horticulture**.*	**horticulteur, -trice** *J'aime les fleurs, les arbres, je serai **horticultrice**.*
la puériculture *Moi, je suis dans une école de **puériculture**. Je travaillerai dans une crèche avec des enfants de 6 mois à 3 ans.*	**puériculteur** (rare), **-trice** *J'adore les enfants, je serai **puéricultrice**.*
la sculpture *Comme Michel-Ange, je fais de la **sculpture**.*	**sculpteur, -trice** (rare) *Michel-Ange est un **sculpteur** génial !*

Art, culture, métier (suffixe en -ture)	La personne (suffixe zéro)	Le verbe
l'architecture (f.) *J'étudie l'**architecture** à l'École des beaux-arts.*	**architecte** (m., f.) *Pei est l'**architecte** de la pyramide du Louvre.*	
la peinture *Je fais de la **peinture** comme Picasso, Renoir, Cézanne… !*	**peintre** (m., f.) *La peinture n'est pas mon métier, je suis un **peintre** du dimanche.*	**peindre** *Je **peins** la nature, les arbres et les fleurs.*

Art, culture, métier (suffixe zéro)	La personne (suffixe en -teur/-trice)	Le verbe
le dessin *Le **dessin** est un art difficile, plus peut-être que la peinture.*	**dessinateur, -trice** *Les **dessinateurs** de bandes dessinées ont souvent beaucoup de talent.*	**dessiner** *Quand j'ai le temps, je prends un crayon et du papier et je **dessine** : une tête, des fleurs…*
	acteur, -trice *Je rêve de faire du cinéma et de devenir une **actrice** comme Marilyn Monroe.*	

Action et fait (suffixe en -(a)tion)	La personne (suffixe en -teur/-trice)	Le verbe
la présentation *Pour présenter le journal télévisé, il faut avoir une bonne **présentation**, être plutôt jolie et avoir une bonne diction.*	**présentateur, -trice** *Cette **présentatrice** du journal télévisé est très célèbre.*	**présenter** *Elle **présente** le journal télévisé de 20 heures.*
la traduction *La **traduction** d'une œuvre littéraire est difficile. Comment traduire Marcel Proust ?*	**traducteur, -trice** *Il est **traducteur**. Il traduit en français les œuvres de Dante, de Leopardi…*	**traduire** *Il **traduit** en français les œuvres de l'écrivain irlandais James Joyce.*

On apprend par cœur !

Ils vont si bien ensemble !

*Qu'en pensez-vous ? Je marie un **agriculteur***
*Avec une **horticultrice** ?*
Ils vont bien ensemble, n'est-ce pas ?
*Et un **sculpteur**, oui, un sculpteur*
*Avec une belle **actrice** ?*
*Et une gentille **puéricultrice***
*Avec un bon **dessinateur** ?*
*Et que pensez-vous d'un **présentateur***
*Avec une **traductrice** ?*
*Et pourquoi pas avec une **téléspectatrice** ?*

un sculpteur/une actrice

3 • Les suffixes -ain, -aire, -at...

Je passe de la profession à la personne avec ces quelques lettres : **-ain** (écrivain), **-aire** (secrétaire), **-at** (avocat), **-eur** (ingénieur), **-eur** (danseur, danseuse), **-ien** (musicien(ne)), **-in** (médecin).

Que faites-vous ? (suite)

1   *– Aujourd'hui, j'interroge les autres élèves de la classe. Je commence par vous, Aphrodite. Vous avez une profession ?*

*– Oui, je suis **avocate** à Athènes. Le droit est une matière difficile.*

*– Et vous, Mehemet ? Vous êtes **médecin**, je crois.*

5   *– Oui, je suis **médecin**, et la médecine est très difficile aussi.*

– Et vous, Andréa ?

*– Pour le moment, je suis **bibliothécaire** à la bibliothèque universitaire de ma ville. Mais j'aimerais être **écrivain** comme Victor Hugo.*

– Élena ?

10   *– Je suis **secrétaire** dans une entreprise multinationale en Lettonie. Le **secrétariat**, c'est vraiment intéressant ! Mais j'aimerais être **vétérinaire**, j'aime beaucoup les animaux, tous les animaux.*

– Ah bon ! Et vous, Justina, quel est votre métier ?

*– Je suis **musicienne** et mon mari est **musicien** aussi. Nous faisons de*
15   *la musique dans un orchestre de chambre. Je joue du violon, je suis **violoniste** et mon mari est **pianiste**.*

– Haydée ?

*– Je suis **journaliste**; j'écris dans un journal, en Turquie, mais j'aimerais être **chanteuse** et **danseuse**. J'adore le chant et la danse.*

20   *– Et vous, Omar ?*

*– Moi, je suis **ingénieur**, **ingénieur informaticien**. Ma fiancée, elle, est **vendeuse** dans un grand magasin.*

*– Est-ce que le métier de **professeur**, d'**enseignant** est intéressant ? demande un étudiant.*

25   *– L'enseignement est le plus beau métier du monde.*

2. CES QUELQUES LETTRES QUI CHANGENT TOUT • LES SUFFIXES

On récapitule

Art, science, technique, métier	La personne (Tous les mots de cette liste sont **des noms** et **des adjectifs**)	Le verbe (l'action)
le droit *Je suis étudiante ; j'étudie à la faculté de **droit** de Paris.*	**avocat(e)** *Après mes études de droit, je serai **avocate**.*	
	bibliothécaire (m., f.) *La nouvelle **bibliothécaire** est super. Elle conseille très bien les lecteurs.*	
	écrivain *(écrivaine** est encore rare)* *On dit que Victor Hugo est le plus grand **écrivain** français…*	**écrire** *Il **a écrit** Notre-Dame de Paris, les Misérables…*
l'informatique (m.) *L'ordinateur est l'outil de l'**informatique**.*	**informaticien, -ienne** *Je suis **informaticienne**, je passe mes journées devant un ordinateur.*	
le journalisme *Le **journalisme** ? Qu'est-ce que c'est ? C'est une façon de raconter l'actualité.*	**journaliste** (m., f.) *Je suis **journaliste** sportif. J'écris des articles sur les cyclistes, les matchs de football…*	
la médecine *J'étudie la **médecine** ; je veux soigner les gens.*	**médecin** *(le féminin n'existe pas)* *Je serai **médecin** dans un hôpital.*	
la musique *Elle adore la **musique**. Elle joue du piano, elle va au concert…*	**musicien, -ienne** *C'est une très bonne **musicienne**. Elle joue très bien du violon.*	
le secrétariat *Je vais au **secrétariat** de la faculté pour faire mon inscription.*	**secrétaire** (m., f.) *La **secrétaire** répond aux lettres, aux coups de téléphone, elle organise les rendez-vous du directeur.*	
	vétérinaire (m., f.) *J'aime les animaux, je veux soigner les animaux, je serai **vétérinaire**.*	
	pianiste (m., f.) *C'est un excellent **pianiste** mais il fait souvent des fausses notes.*	

Art, technique, métier	La personne (Tous les mots de cette liste sont **des noms** et **des adjectifs**)	Le verbe (l'action)
	violoniste (m., f.) *Le violoniste joue sur un violon de Stradivarius.*	
ingénieur (m., f.)  *Il est **ingénieur** du son dans un studio d'enregistrement de musique.*		
	professeur (m., f.) *Elle enseigne le français. Elle est **professeur** dans un lycée.*	
le chant *Elle étudie le **chant** avec Maria Callas.*	**chant**eur, -euse *Il y a cent **chanteurs** dans la chorale.*	**chant**er *Elle **chante** toute la journée. Des chansons, des mélodies, du jazz…*
la danse *Elle fait de **la danse** depuis l'âge de six ans.*	**dans**eur, -euse *Elle est **danseuse** étoile à l'Opéra de Paris.*	**dans**er *Les danseuses de l'Opéra **dansent** jusqu'à l'âge de quarante-cinq ans.*
la vente *Tout va mal. Les **ventes** baissent. Les gens n'achètent plus rien.*	**vend**eur, -euse *Il est **vendeur** aux Galeries Lafayette.*	**vend**re *Dans ce magasin, on **vend** des vêtements et des chaussures.*
l'enseignement *En France, l'**enseignement** peut être public ou privé.*	**enseign**ant(e) *Les **enseignants** demandent une réforme.*	**enseign**er *Elle **enseigne** le latin et le grec dans un lycée.*

ATTENTION !

Pour certains noms de métier, comme *ingénieur, professeur, auteur,* le féminin, normalement, n'existe pas. Mais aujourd'hui, on trouve de plus un plus : elle est *professeure, ingénieure, auteure…*

On apprend par cœur !

Ma fille sera...

– Ma fille sera danseuse, oui, elle sera...

danseuse à l'Opéra !

Oui, oui, danseuse ou chanteuse !

Ou... peut-être coiffeuse ou vendeuse !

– Moi, madame, ma fille sera pianiste !

ou peut-être violoniste

et elle sera admirée

dans le monde entier !

– Mais, votre fille est secrétaire !

– Non, euh, enfin, elle est bibliothécaire !

Oui, oui, c'est ça ! Bibliothécaire scolaire !

– C'est extraordinaire !

une danseuse

une pianiste

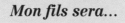

Mon fils sera...

– Mon fils, lui, ah, mon fils, il sera... !

– Mais quoi, madame, quoi ?

– Je ne sais pas, mais il sera... !

– Informaticien ?

– Non, pourquoi ?

– Ou, peut-être médecin ?

– Non, la vie est difficile pour les médecins.

– Alors, écrivain ?

– Ah ! c'est beau, mais il ne gagnera rien !

– Bon, et avocat, c'est un bon métier, avocat !

– Je ne crois pas.

– Journaliste ? Musicien ? Ingénieur

– Enseignant, professeur ?...

– Mais non, mais non, il sera... !

un informaticien

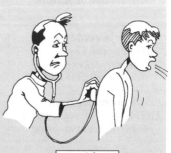

un médecin

4 • Les suffixes -eur, -ie, -tion

Je passe de l'adjectif au nom, de l'adjectif à la dimension ou à la qualité avec ces quelques lettres : **-eur** (la maig**reur**), **-ie** (la modest**ie**), **-tion** (la préten**tion**).

(voir les antonymes p. 98-99, les synonymes p. 126 à 128)

Dimensions et caractères

1 *Il est six heures du soir. Jacek, le mari de Justina, visite un studio* avec un agent immobilier*.*

Jacek : *Ce studio est bien. Vous avez les dimensions exactes de la pièce ? Quelle est la **hauteur** sous plafond ?*

5 **L'agent :** *Le plafond est très haut, l'immeuble est ancien*. Les murs font 3,50 m de haut.*

Jacek : *Quelle est la **largeur** de la pièce ? Et la **longueur** ?*

L'agent : *La pièce a sept mètres de **long** et cinq mètres de **large**.*

Jacek : *J'ai de la place pour mon piano à queue. Comment sont les*
10 *murs ? Je joue du piano, ma femme du violon et il y a les voisins…*

L'agent : *Les murs sont très **épais**. Ils ont 0,60 m d'**épaisseur**.*

Jacek : *Ouah ! Je peux jouer même la nuit. Qui sont nos voisins, comment sont-ils ? Parfois, les voisins n'aiment pas la musique.*

L'agent : *Sur le palier, à gauche, il y une vieille dame bavarde* et*
15 *sourde* ! À droite, il y a un couple avec un enfant. L'enfant est **agité**, il fait du bruit. Le père est **antipathique** ; c'est un homme **laid** ; il a de petits yeux, un nez très long. Il est **prétentieux**. Dans l'immeuble, les gens l'appellent « Monsieur-je-sais-tout » ; sa **laideur** est égale à sa prétention*. La mère, au contraire, est **sympathique, douce, mince,***
20 *presque **maigre**. Elle est professeur à l'université, mais elle est très modeste, elle ne parle jamais d'elle. Et elle aime la musique.*

Jacek : *Bon, des murs épais, une grande pièce, une vieille dame sourde, un enfant agité, un voisin prétentieux et une femme douce, c'est bien… Je loue le studio.*

l. 1 : un studio = habitation formée généralement d'une petite cuisine, d'une petite salle de bains et d'une seule pièce principale.
l. 2 : l'agent immobilier = c'est la personne qui est entre quelqu'un qui vend un apparte- ment (le vendeur) et quelqu'un qui achète l'appartement (l'acheteur) ; ou bien entre un propriétaire qui loue son appartement et un locataire qui loue pour quelque temps.
l. 5 : ancien est le contraire de moderne.
l. 14 : bavard(e) = qui parle beaucoup.
l. 15 : sourd(e) = qui n'entend pas.
l. 19 : sa laideur **est égale à** sa prétention = sa laideur et sa prétention sont **pareilles**.

On récapitule

Suffixe en **-eur** (ce suffixe forme des noms féminins, et, sur l'adjectif, on forme des verbes du 2e groupe en **-ir**).

Adjectifs	Noms (marquent la qualité)	Verbes en -ir (deuxième groupe)
doux, douce *J'adore caresser mon chat, son poil est très **doux**. Cet enfant est sage, il ne pleure pas, il sourit, il est très **doux**.*	**la douc**eur *La **douceur** du climat attire les gens dans cette région. Les touristes admirent la **douceur** du sourire de Mona Lisa.*	**adouc**ir = rendre doux *Quand on parle à un petit enfant, il faut **adoucir** sa voix.*
laid(e) *Pour beaucoup de Parisiens du XIXe siècle, la tour Eiffel était très **laide**.*	**la laid**eur *Il n'est vraiment pas beau. Mais on oublie sa **laideur**. Il est intelligent et il a beaucoup de charme.*	**enlaid**ir = rendre laid *Je n'aime pas ta nouvelle coiffure. Elle est ridicule et en plus elle t'**enlaidit**.*
maigre *Elle est très **maigre**. Elle, elle n'a pas besoin de faire un régime.*	**la maigr**eur *Beaucoup d'adolescentes veulent avoir la **maigreur** des mannequins.*	**maigr**ir = devenir maigre *1,80 m et 58 kg ? Vous êtes trop grosse pour un mannequin. Vous devez **maigrir**.*
mince *Elle n'est ni grosse, ni maigre, elle est **mince**, elle est bien.*	**la minc**eur *Ce livre a des pages d'une **minceur** extraordinaire.*	**minc**ir = devenir mince *– C'est bien, vous **avez minci**. – Oui, j'ai perdu 2 kg.*

Adjectifs	Noms (marquent la dimension)	Verbes
épais, épaisse *Les murs des châteaux sont **épais**.*	**l'épaiss**eur *L'**épaisseur** des murs est de 2 mètres.*	**épaiss**ir = rendre épais, 2e groupe *La sauce **épaissit** sur le feu.*
haut(e) *La tour Eiffel est **haute**.*	**la haut**eur *La **hauteur** de la tour Eiffel est de 324 m.*	
large *L'avenue des Champs-Élysées est très **large**.*	**la larg**eur *La **largeur** de l'avenue est de 30 mètres.*	**élarg**ir = rendre large, 2e groupe *Cette rue n'est pas large, elle est étroite ; on va l'**élargir**.*
long, longue *La Muraille de Chine est **longue**.*	**la longu**eur *La **longueur** de la Muraille de Chine est de 5 000 km.*	**allong**er = rendre long, 1er groupe *Ma robe est très courte. Je vais l'**allonger**.*

Suffixe en **-ie** (ce suffixe forme **des noms féminins** à partir d'adjectifs avec suffixe en **-ique** ou avec suffixe zéro).

antipathique *Je n'aime pas ses idées, nous n'avons pas les mêmes goûts, je le trouve très antipathique.*	**l'antipathie** (f.) *J'ai pour lui une grande antipathie, Je ne l'aime pas.*
sympathique *Il est sympathique ; il a un beau sourire, il est drôle, charmant.*	**la sympathie** *Je suis toujours content de le voir ; il y a une grande sympathie entre nous.*
modeste *Il est riche, mais il ne montre pas sa richesse ; il a plusieurs diplômes, mais il n'en parle pas. Il est modeste.*	**la modestie** *La modestie est une qualité rare. Beaucoup de gens veulent montrer qu'ils sont riches, intelligents…*

Suffixe en **-tion** (ce suffixe forme des **noms féminins**)

agité(e) *Cet enfant bouge tout le temps. Il n'est jamais à la même place. Il est très agité.*	**l'agitation** (f.) *Je déteste l'agitation des jours de solde. Tout le monde court, va, vient, pour quoi ?*
prétentieux(-euse) *Il croit qu'il sait tout. Il est prétentieux.*	**la prétention** *Quelle prétention ! Il croit qu'il sait tout !*

On apprend par cœur !

Casse-tête

L'épaisseur de la Muraille de Chine
N'est pas égale à la largeur de la place Rouge, en Russie,
Qui n'est pas égale à la hauteur de la tour Eiffel, à Paris,
Qui n'est pas égale à la longueur de la Muraille de Chine.

On est...

On est modeste quand on dit : « Je ne sais rien ».
On est prétentieux quand on dit : « Je sais tout ».
On est sympathique quand on donne la main.
On est antipathique quand on ne donne pas un sou.
On est doux quand on est calme, quand on sourit.
On est agité quand on est là, quand on est ici…

5 • Les suffixes -eur, -oir

J'utilise des appareils et des machines en **-eur** (un ascens**eur**) et en **-oir(e)** (un séch**oir**, une bouill**oire**).

Ascenseur, aspirateur, ordinateur...

1 **Le professeur** – *Aujourd'hui, vous allez répondre à une nouvelle question. Est-ce que les appareils, les machines, rendent la vie d'aujourd'hui plus facile ? Alors, nous commençons.*

Un élève – *Je suis bien content d'avoir un **ascenseur** pour monter au*
5 *sixième étage dans ma petite chambre.*

Un autre élève – *Oui, c'est bien, mais les ascenseurs sont parfois en panne*.*

Un élève – *Je viens d'un pays chaud et ici, en France, j'ai toujours froid. Donc, je suis très heureux d'avoir un **radiateur**. Je suis heu-*
10 *reux aussi d'avoir un **ordinateur**, j'écris une thèse ; et mon **répondeur** est utile pour mes messages, mais je n'ai pas de **téléviseur**.*

Un autre élève – *Oui, mais tous ces appareils consomment de l'électricité*.*

Une élève – *Moi je fais des économies d'énergie*, j'ai un petit, un tout petit **réfrigérateur**.*

15 **Une autre élève** – *Oui, mais tu as un gros **congélateur**, un **aspirateur** pour faire le ménage et un **lecteur** de DVD !*

Un autre élève – *Je trouve notre vie plus facile avec les **distributeurs** de billets de banque. Mais beaucoup de gens n'aiment pas les **horodateurs**, ces machines où on met de l'argent pour pouvoir stationner,*
20 *et laisser sa voiture dans la rue pendant un certain temps.*

Le professeur – *Y a-t-il d'autres appareils utiles, des appareils ou des objets ?*

Les élèves – *Oui, par exemple, un **rasoir**, ou un **séchoir** à cheveux ou à linge, un **miroir**, une **bouilloire**, une **passoire**...*

25 **Le professeur** – *Bon, merci, toutes vos réponses sont exactes et comme tout le monde vous êtes des hommes et des femmes d'aujourd'hui. Vous êtes des écologistes et vous aimez le confort.*

---

l. **6** : L'ascenseur est en panne = il ne marche pas.
l. **12** : Consommer de l'électricité = utiliser de l'électricité.
l. **13** : Faire des économies d'énergie = utiliser peu d'énergie.

On récapitule

Le verbe	L'appareil, la machine suffixe en -eur → des noms masculins
	l'ascenseur *L'**ascenseur** est en panne. Je monte les dix étages à pied.*
aspirer *L'air entre dans mes poumons parce que j'**aspire** l'air, il sort parce que j'expire. Aspirer, expirer, c'est respirer.*	**l'aspirateur** *Il y a beaucoup de poussière dans cet appartement. L'**aspirateur** est un objet vraiment nécessaire.*
congeler *Les pêcheurs **congèlent** les poissons sur leur bateau.*	**le congélateur** *Mon **congélateur** est plein. Je suis tranquille, je n'ai pas besoin de faire des courses.*
distribuer *Le facteur **distribue** le courrier, les lettres...*	**le distributeur** *Le **distributeur** de la banque est en panne. Je ne peux pas prendre d'argent.*
	l'horodateur *Les **horodateurs** sont souvent cassés et les automobilistes ne peuvent pas payer.*
lire *Les lecteurs de DVD **lisent** les CD.*	**le lecteur** *J'ai un **lecteur** de cassettes audio, un lecteur de cassettes vidéo, un lecteur de CD et un lecteur de DVD.*
	l'ordinateur *J'ai un **micro-ordinateur**. Je peux le prendre avec moi partout, et je peux travailler partout.*
	le radiateur *On ferme les **radiateurs** en été.*
réfrigérer *Dans les pâtisseries, les vitrines sont souvent **réfrigérées** pour conserver les gâteaux.*	**le réfrigérateur** *Mon **réfrigérateur** fonctionne mal et les légumes gèlent et deviennent tout noirs.*
répondre *Je pose une question, tu dois **répondre**.*	**le répondeur** *J'ai trois messages de mes amis sur mon **répondeur**.*
	le téléviseur *Ils ont un **téléviseur** dans chaque chambre. C'est ridicule.*
	suffixe en -oir (m.), **-oire** (f.)
bouillir *L'eau **bout**, je remplis la théière.*	**la bouilloire** *Ma **bouilloire** siffle quand l'eau bout.*

2. CES QUELQUES LETTRES QUI CHANGENT TOUT • LES SUFFIXES

Le verbe	L'appareil, la machine suffixe en -oir (m.), -oire (f.)
	le miroir *J'ai un **miroir** grossissant dans ma salle de bains. Parfois, je regrette d'avoir ce miroir.*
passer *L'eau des pâtes **passe** à travers la passoire.*	**la passoire** *Je jette les pâtes dans une casserole pleine d'eau bouillante. Puis, je les verse dans une **passoire** pour enlever l'eau.*
raser *Le coiffeur **rase** ses clients.*	**le rasoir** *Il a un **rasoir** électrique pour raser ses clients.*
sécher *Mes cheveux **sèchent** à l'air, sans séchoir.*	**le séchoir** *Je laisse mes cheveux sécher à l'air, je n'utilise jamais de **séchoir** à cheveux.*

On apprend par cœur !

Chez toi
*Tu utilises un **ordinat**eur ?*
Oui, à toute heure !
*Et un **télévis**eur ?*
Oh ! une petite heure !
*Et un **aspirat**eur ?*
Un très petit quart-d'heure !
*Et un **répond**eur ?*
C'est pour mon directeur...
*Et un **lect**eur ?*
Pour voir les grands acteurs !
*Et un **réfrigérat**eur et un **congélat**eur ?*
C'est pour les gros mangeurs !

Dehors,
*Tu utilises un **horodat**eur ?*
Oui, moi et les autres conducteurs,
De deux à quatre heures.
*Et un **ascens**eur ?*
Oui, à cause de la hauteur !
*Et un **distribut**eur ?*
Oui, pour le bonheur
Des acheteurs
Et des vendeurs !

aspirateur

distributeur

horodateur

6 • Les suffixes -ance, -ence, -esse...

Je passe d'une caractéristique à la qualité, de l'adjectif au nom avec ces quelques lettres : -ance, -ence (la tolérance, l'intelligence), -esse (la richesse), -ise (la franchise), -isme (l'optimisme), -sie (l'hypocrisie), -té (la beauté).

(voir les antonymes p. 98-102 et les synonymes p. 126-128)

Qui êtes-vous ?

1 **Le professeur** – *Je vous propose un dernier exercice : vous faites le portrait d'un camarade. Est-ce qu'il est grand, petit, gros, **beau, gai** ou **triste, fort, faible, jeune, vieux, riche, pauvre** ?*

Un étudiant – *Cet exercice est difficile. La beauté, qu'est-ce que c'est ? Un*
5 *sourire **embellit** parfois un visage sans beauté. Et la **tristesse** et la **gaieté** sont passagères*. Et parfois aussi la **richesse** et la **pauvreté**.*

Le professeur – *Alors, je vous propose un autre exercice. Vous décrivez les qualités et les défauts d'un camarade. Est-ce qu'il est **bon, gentil** ou **méchant, travailleur** ou **paresseux, courageux, timide, optimiste***
10 *ou **pessimiste, intelligent** ou **bête, égoïste, tranquille** ou **vif, jaloux, sensible** ?*

Un étudiant – *Mais, c'est très difficile aussi. Par exemple, la **franchise** est une qualité : une personne franche ne ment pas ; mais parfois la franchise peut faire du mal, alors ? Est-ce que la franchise est une*
15 *qualité ou un défaut ? Et l'**opimisme**, c'est une qualité ?*

Un autre étudiant – *Est-ce qu'on peut faire aussi le portrait du professeur ? Est-ce qu'il est **patient** ou **impatient, tolérant** ou **intolérant, arrogant, hypocrite** ou **franc, violent, sévère**, intéressant ou **ennuyeux** ?*

20 **Le professeur** – *Bon, nous allons faire un autre exercice.*

———
l. 6 : passagère = qui ne dure pas, qui passe.

Plusieurs suffixes peuvent exprimer **la qualité**, **l'état**, **la caractéristique**.

Pour les adjectifs :
-ant(e) : *ignorant(e)*
-ent(e) : *intelligent(e)*
-eur/-euse : *travailleur, travailleuse*
-eux/-euse : *paresseux, paresseuse*
-if/-ive : *vif, vive*
-iste : *optimiste* (m., f.)

Pour les noms :
-ance : *l'arrogance*
-ence : *la violence*
-esse : *la politesse*
-ise : *la bêtise*

-isme : *l'égoïsme*
-sie : *l'hypocrisie*
-té : *la bonté*

On récapitule

■ Suffixe en **-ance** ou **-ence** (ces suffixes forment des noms **féminins**)

L'adjectif	Le nom la qualité ou le défaut	Le verbe
arrogant(e) *Il croit qu'il sait tout, que les autres sont ignorants, il est **arrogant**.*	**l'arrogance** *Il regarde les autres avec **arrogance**. Il pense que les autres ne sont rien.*	
intolérant(e) *Il n'accepte pas les idées des autres, il est **intolérant**.*	**l'intolérance** *Tu veux que je pense comme toi, c'est de l'**intolérance**.*	
tolérant(e) *Il accepte toutes les opinions, il est très **tolérant**.*	**la tolérance** *Je laisse aux autres la liberté de penser, ça, c'est de la **tolérance**.*	**tolérer** *Je **tolère**, j'accepte les différences.*
intelligent(e) *Il comprend tout, tout de suite, il est très **intelligent**.*	**l'intelligence** *On parle encore aujourd'hui de l'**intelligence** de Pasteur.*	
impatient(e) *– Vite, vite, maman, j'ai faim. – Tu es **impatient** ! J'arrive.*	**l'impatience** *Il attendait avec **impatience** son amie qui était très en retard.*	**(s)'impatienter** *L'artiste est en retard, le public dans la salle commence à s'**impatienter**. Il siffle et tape des mains.*
patient(e) *Le professeur est très **patient** avec les élèves. Il leur explique les choses plusieurs fois.*	**la patience** *Ce maître a de la **patience** avec les enfants. Il les écoute pendant des heures.*	**patienter** *« **Patientez**, le médecin arrive tout de suite. »*

L'adjectif	Le nom la qualité ou le défaut	Le verbe
violent(e) *Il parle fort, il crie, il frappe,* *c'est un homme **violent**.*	**la violence** *Il ne parle pas, il crie ;* *personne ne supporte* *sa **violence**.*	

■ Suffixe en -esse

Ce suffixe forme des noms **féminins** et sur la même base d'adjectif, on a des verbes du 2ᵉ groupe en **-ir**.

L'adjectif	Le nom la qualité ou le défaut	Le verbe
faible *Elle est très malade.* *Elle ne peut plus marcher,* *elle est très **faible**.*	**la faiblesse** *Sa maladie, sa grande* ***faiblesse** l'empêchent* *de se lever et de marcher.*	**affaiblir** = rendre faible *Sa maladie l'**affaiblit**.*
gentil, gentille *« Marie, apporte-moi* *mes lunettes. Merci,* *tu es très **gentille** ».*	**la gentillesse** *Tout le monde l'aime* *pour sa douceur,* *pour sa **gentillesse**.*	
jeune *Il a 25 ans, il est **jeune**.*	**la jeunesse** *La **jeunesse** passe vite.*	**rajeunir** = rendre, devenir jeune *Elle va faire une opération* *de chirurgie esthétique* *pour **rajeunir**.*
paresseux, -euse *Il n'aime pas travailler, il ne* *fait rien, il est **paresseux**.*	**la paresse** *Elle n'aime pas travailler.* *Elle aime le repos, **la paresse**.*	
riche *Il a des millions* *et des millions d'euros,* *il est très **riche**.*	**la richesse** *Sa **richesse** est très grande.* *Il a des millions* *et des millions d'euros.*	**enrichir** = rendre riche *Le commerce **enrichit*** *un pays.*
vieux/vieille *Il a 87 ans, il est **vieux**.*	**la vieillesse** *Le début de la vie,* *c'est la jeunesse.* *La fin de la vie,* *c'est la **vieillesse**.*	**vieillir** = rendre, devenir vieux *Tu oublies tout, tu **vieillis** !*
triste *Son petit chat est mort.* *Elle pleure, elle est **triste**.*	**la tristesse** *– Tu pleures ? Pourquoi* *cette **tristesse** ?* *– Mon petit chat est mort.*	**attrister** = rendre triste, verbe du 1ᵉʳ groupe *La mort de son petit chat* *l'**attriste**.*

Suffixe en -ise

Ce suffixe forme des noms **féminins**; la base est l'adjectif.

L'adjectif	Le nom/la qualité ou le défaut
bête *Tu peux lui expliquer quelque chose pendant des heures, il ne comprend pas, il est **bête**.*	**la bêtise** *Sa **bêtise** est grande. Il ne comprend rien.*
franc/franche *Tu peux lui faire confiance. Elle dit toujours ce qu'elle pense, elle est très **franche**.*	**la franchise** *La **franchise** est une grande qualité. Mais parfois c'est de la méchanceté.*
gourmand(e) *Elle est très **gourmande**, elle peut manger deux, trois, quatre gâteaux…*	**la gourmandise** *Est-ce que la **gourmandise** est un défaut ou une qualité ?*

Suffixe en -isme

Ce suffixe forme des noms **masculins**. L'adjectif est en **-iste**.

L'adjectif	Le nom/la qualité ou le défaut
égoïste (adj. et nom) *Moi, moi, moi. Moi avant les autres. Je suis **égoïste**.*	**l'égoïsme** *Moi, avant vous! C'est de l'**égoïsme**!*
optimiste (adj. et nom) *C'est un **optimiste**, il pense toujours que tout ira bien.*	**l'optimisme** *Croire que tout va bien quand tout va mal, c'est de l'**optimisme**.*
pessimiste (adj. et nom) *C'est un **pessimiste**, il pense que rien ne va bien.*	**le pessimisme** *Croire que tout va mal quand tout va bien, c'est du **pessimisme**.*

Suffixe en -sie

Ce suffixe forme des noms **féminins**.

L'adjectif	Le nom/la qualité ou le défaut
hypocrite (adj. et nom) *Devant toi, il fait des sourires, derrière toi, il dit des choses méchantes. Cet homme est **hypocrite**.*	**l'hypocrisie** *L'**hypocrisie** est le contraire de la franchise, de la sincérité.*
jaloux/jalouse (adj. et nom) *Elle est très **jalouse**. Quand elle voit son mari parler à une autre femme, elle est furieuse.* 	**la jalousie** *La **jalousie** est un gros défaut. Les gens jaloux souffrent et font souffrir.*

■ Suffixe en -té

Ce suffixe forme des noms **féminins**.

L'adjectif	Le nom/la qualité ou le défaut	Le verbe
beau (ou **bel** + voyelle)/**belle** *Pour moi, la rose est la plus **belle** des fleurs.*	**la beauté** *J'aime l'Italie pour la **beauté** de ses paysages et de ses villes.*	**embellir** = rendre beau *Elle **embellit** : elle a changé de coiffure et elle est plus mince.*
bon *Cet homme est **bon**. Il aide les gens qui ont besoin de lui.*	**la bonté** *Tout le monde l'aime pour sa grande **bonté**.*	
gai(e) *Elle rit tout le temps, elle a un caractère très **gai**.*	**la gaieté** *Avec sept enfants, la maison est toujours pleine de rires, de **gaieté**.*	
méchant(e) *Dans les contes, le loup est **méchant**. Il mange les enfants.*	**la méchanceté** *Elle frappe sa sœur, elle ne lui prête pas ses jouets. C'est de la **méchanceté**.*	
pauvre *Il y a des gens **pauvres** autour de nous. Des gens sans maison, sans travail.*	**la pauvreté** *Il n'a pas de maison. Il vit dans une grande **pauvreté**.*	**appauvrir** = rendre pauvre *La guerre **appauvrit** les gens et le pays.*
sensible *Il est très **sensible**. Il pleure quand le film est triste.*	**la sensibilité** *Sa **sensibilité** est grande. Elle pleure quand le film est triste.*	
sévère *Elle ne sort jamais le soir, elle a des parents très **sévères**.*	**la sévérité** *Qu'est-ce qui est bon pour les enfants ? La douceur ou la **sévérité** ?*	
timide *Quand il parle aux gens qu'il ne connaît pas, il devient tout rouge, il regarde ses chaussures, il est **timide**.*	**la timidité** *Sa grande **timidité** l'empêchera d'avoir un métier public.*	
tranquille *J'aime la vie calme, **tranquille**, sans agitation des petites villes.*	**la tranquillité** *Quand on quitte la ville et son agitation, on retrouve la campagne et sa **tranquillité**.*	**tranquilliser** *Il est inquiet. Il attend les résultats des examens. Je vais lui dire qu'il a réussi. Je vais le **tranquilliser**.*
vif, vive *Il est plein de vie ; il a l'esprit **vif**, il comprend vite et il est **vif** comme un animal.*	**la vivacité** *Les professeurs admirent la **vivacité** d'esprit de cet élève. Il comprend vite, il répond vite…*	

Les noms sont **masculins** et donnent des adjectifs en **-eux/-euse**, mais travail donne travailleur.

L'adjectif	Le nom/la qualité ou le défaut	Le verbe
courageux, -euse *Un vieil homme tombe dans la rivière, un garçon courageux saute dans l'eau pour l'aider.*	**le courage** *Il se lève à 5 heures du matin et il travaille jusqu'à 8 heures du soir. Il a du courage.*	**encourager** *La foule crie et encourage les cyclistes.*
ennuyeux, -euse *Les élèves bâillent, dorment, le cours est ennuyeux.*	**l'ennui** *Quel ennui ! Je vais rencontrer des gens qui ne sont pas intéressants.*	**ennuyer** *Les longs discours ennuient tout le monde.*
travailleur, -euse *« C'est un enfant intelligent et travailleur », a dit l'instituteur.*	**le travail** *Il vient de finir ses études de droit. Il cherche du travail chez un avocat.*	**travailler** *Il faut travailler pour vivre.*

On apprend par cœur !

timidité

Moi, j'aime…

*Moi, j'aime l'harmonie, la **beau**té,*
*les rires, la **gaie**té.*
J'aime les gens qui comprennent vite,
*j'aime l'**intellig**ence !*
J'aime les gens qui n'ont pas de limites,
*j'aime la **tolér**ance !*
J'aime les gens qui ont un peu peur,
*j'aime la **timidi**té.*
J'aime aussi les gens qui ont du cœur,
*j'aime la **bon**té.*
J'aime ces qualités de princesse,
*la politesse, la **gentill**esse !*
J'aime parfois des qualités contraires
*la **vivaci**té et la **tranquilli**té.*
J'aime aussi cette qualité peu ordinaire
*la sincérité, la **franch**ise.*
*Mais j'aime aussi la **gourmand**ise !*
Ah, une bonne tarte aux cerises
et un bon café italien sur une place, à Venise !

gourmandise

7 • Les suffixes -erie, -ier, -er...

Je vais dans des magasins, et du magasin, généralement en **-erie** (épicerie) au marchand, il y a ces quelques lettres : **-ier, -ière** (épic**ier**, épic**ière**) ou **-er, -ère** (après « ch- » et « g- » bouch**er**, bouch**ère**), **-eur, -euse** (blanchiss**eur**, -**euse**) ou **-aire** (libr**aire**), **-iste** (fleur**iste**).

Quelques heures de la vie d'une femme

1 *Pour la fin des cours, ce soir, je reçois des élèves et des amis à dîner.*

*D'abord, je passe chez le **boucher**. La **boucherie** est près de chez moi. Je prends un rôti de veau et je vais à l'**épicerie**. J'achète de l'huile. Ah! oui, et du vin! L'**épicier** me conseille une bonne bouteille et je*
5 *sors. Je passe ensuite à la **crémerie**. Là aussi, je connais le **crémier**, il me conseille toujours ses meilleurs fromages. La **boulangerie-pâtisse-rie** est à côté. Le **boulanger** fait un très bon pain et le **pâtissier** des gâteaux délicieux. Puis je vais à la **blanchisserie-teinturerie** pour prendre ma robe en soie. Le **teinturier** travaille très bien. Il n'y a plus*
10 *de tache* sur la robe.*

*Bon, et maintenant? Des fleurs peut-être? Il y a des roses magnifiques chez le **fleuriste**. Mon Caddie est plein. Je vais rentrer à la maison. Mais quelqu'un m'appelle. C'est le **libraire**. « Venez, j'ai un très bon roman pour vous. ». Je rentre dans la **librairie**, j'achète le roman et je sors. Je*
15 *tire mon Caddie, je vais rentrer à la maison. Oh là, là! Et le poisson? C'est mon entrée*, un saumon froid à la mayonnaise. Ouf! Je vais à la **poissonnerie** et le **poissonnier** me prépare une belle tranche de sau-mon. Bon, maintenant, je rentre! Je marche et je tire mon Caddie.*

J'ai tout, je crois. Tout? Je ne sais pas, peut-être… J'arrive devant ma
20 *porte et je cherche mes clés. Où sont mes clés? Je n'ai pas mes clés. Elles sont dans l'appartement! Je vais appeler un **serrurier**.*

---

l. **10** : une tache = une marque sale.
l. **16** : une entrée = un plat au début du repas.

On récapitule

Le magasin, la boutique	Le commerçant/la commerçante, le marchand/la marchande
la crémerie *À la crémerie, j'achète du lait et du fromage.*	**le crémier, la crémière** *Le crémier de mon quartier a des fromages excellents.*
l'épicerie (f.) *Cette épicerie ferme à minuit. C'est commode quand j'ai besoin d'huile ou de sucre tard, le soir.*	**l'épicier, l'épicière** *L'épicier travaille dans son épicerie depuis trente ans. Dans la famille, ils sont épiciers de père en fils.*
la pâtisserie *Il est très dangereux d'entrer dans une pâtisserie. On a envie de manger tous les gâteaux.*	**le pâtissier, la pâtissière** *Le pâtissier et la pâtissière de mon quartier détestent les gâteaux.*
la poissonnerie *Il fait toujours froid dans une poissonnerie.*	**le poissonnier, la poissonnière** *Le poissonnier porte un grand tablier et des gants.*
la serrurerie *Il y a encore des serrureries dans mon quartier.*	**le serrurier, la serrurière** (rare) *Je donne ma clé au serrurier. Il va en faire une autre.*
la teinturerie *Cette teinturerie est très fréquentée. Les gens apportent leurs vêtements à nettoyer.*	**le teinturier, la teinturière** *Le teinturier conseille les clients. Parfois, il sait que les taches sur les vêtements ne partiront pas.*
la boucherie *Je suis végétarienne, je n'entre jamais dans une boucherie. Je ne mange jamais de viande.*	**le boucher, la bouchère** *Le boucher de mon quartier ne me connaît pas. Je suis végétarienne.*
la boulangerie *Je vais chaque jour à la boulangerie, j'aime le pain frais.*	**le boulanger, la boulangère** *Le boulanger fait le pain, sa femme est à la caisse.*
la blanchisserie *Dans cette blanchisserie, on lave et on repasse le linge.*	**le blanchisseur, la blanchisseuse** *Je donne mon linge à laver au blanchisseur.*
la librairie *J'aime bien les petites librairies. On peut regarder tranquillement les livres et discuter avec…*	**le, la libraire** *…le libraire. Le libraire lit les livres et les conseille à ses clients.*
	le, la fleuriste *La fleuriste fait un magnifique bouquet de fleurs ; elle met des roses, des œillets, des lis, des plantes vertes…*

On apprend par cœur !

Elle court, elle court la cliente...

Où va-t-elle à huit heures du matin ?
*À la **boulangerie***
Pour acheter son pain.
Où va-t-elle à midi ?
*À la **boucherie***
Pour acheter un rôti.
Où va-t-elle à quatre heures de l'après-midi ?
*À la **pâtisserie***
Pour acheter une tarte au kiwi.
Il est cinq heures,
*La voilà à la **teinturerie** !*
Il est six heures,
*La voilà à la **librairie** !*
Il est sept heures,
*La voilà à la **poissonn**erie ou à l'**épicerie** !*
Il est huit heures du soir,
Ouf, la voilà chez elle, allez ! Bonsoir et au revoir !

8 • Les suffixes -ier/-ière ou -ier, -er

Je passe du contenu au contenant avec ces quelques lettres : -ier/-ière (le saladier, la soupière).

Je passe du fruit à l'arbre avec ces quelques lettres : -ier (le pommier) ou -er après « ch » ou « g » (le pêcher).

Quelques heures de la vie d'une femme (suite)

1 *Ouf! Le dîner est terminé, les invités sont maintenant chez eux, j'ai lavé la vaisselle et je range les assiettes, la **soupière**, la **saucière**, le **saladier**. Je ramasse le plateau et les tasses, je lave la **théière** et la **cafetière**. Je vais vider le **cendrier**. Pourquoi y a-t-il encore des*
5 *fumeurs? Le cendrier est plein de mégots* et le salon est plein de l'odeur de cigarettes. Quelle horreur! Je rentre le **beurrier** au réfrigérateur, je range le **sucrier** dans l'armoire. Sur la table, il reste quelques serviettes, un **poivrier** et une **salière**. Tout est en ordre ou presque. Je suis fatiguée. Je vais au lit.*

10 *Demain, repos à la campagne. Je vais retrouver ma maison, les fleurs et les arbres fruitiers de mon jardin. Les **pommiers**, les **poiriers**, le grand **cerisier** couvert de cerises, les **pêchers** et les petits **orangers** et **citronniers** avec leurs fruits minuscules.*

*Les **rosiers** me donneront leur parfum, les **fraisiers** leurs fruits. Je*
15 *marcherai pieds nus dans l'herbe et je respirerai l'air délicieux de la campagne.*

---

l. 5 : un mégot = le bout qui reste d'une cigarette qu'on a fumée.

On récapitule

Le contenu (la matière)	Le contenant (l'objet) au féminin : -ière
le café *J'aime le café, bien noir, bien serré et sans sucre.*	**la cafetière** *La cafetière est sur la table, pleine de café. Je vais servir mes invités.*
le sel *Attention, ne mets pas trop de sel dans la soupe, le sel est mauvais pour la santé.*	**la salière** *Passe-moi la salière, s'il te plaît, il n'y a pas du tout de sel dans ce potage.*
la soupe *Cette soupe est très bonne. Il y a des choux et de la crème fraîche.*	**la soupière** *Pose la soupière sur la table ! Hum, quelle bonne odeur de soupe aux choux !*
la sauce *Dans la salade, je mets une sauce au vinaigre et au yaourt.*	**la saucière** *La saucière est pleine de sauce au vinaigre.*
le thé *Elle ne boit que du thé de Chine.*	**la théière** *Elle a une très belle collection de théières de tous les pays du monde, et en particulier de Chine.*
	au masculin : -ier
le beurre *Dans ses tartes, pour ne pas grossir, elle remplace le beurre par de la margarine.*	**le beurrier** *Sur le plateau, il y a la théière, les tasses, les couteaux, le beurrier et les toasts.*
la cendre *Jean est vraiment sale. Il fume et il laisse la cendre de sa cigarette sur le tapis, sur le lit…*	**le cendrier** *Le cendrier est plein de mégots et il sent mauvais.*
le poivre *Atchoum ! Atchoum ! Tu mets trop de poivre dans la soupe. Tout le monde éternue. Atchoum !*	**le poivrier** *Je pose le poivrier sur la table, mes amis adorent le poivre.*
la salade *Je lave toujours la salade avec du vinaigre. Il y a souvent des insectes dans la salade.*	**le saladier** *Je mets la salade dans le saladier et j'ajouterai la sauce à table.*
le sucre *– Voulez-vous du sucre dans le café ?* *– Non, merci, je ne prends jamais de sucre.*	**le sucrier** *Il y a du sucre dans le sucrier. Voulez-vous un morceau de sucre dans votre thé ?*

Le fruit ou la fleur	L'arbre suffixe : -ier
la cerise *Les **cerises** sont délicieuses cette année. Bien rouges, brillantes, juteuses.*	**le cerisier** *Au milieu du jardin, il y a un grand **cerisier**.*
le citron *Elle met toujours une tranche de **citron** dans son thé.*	**le citronnier** *Ce **citronnier** donne des citrons verts.*
la fraise *Elle pose devant moi un bol rempli de **fraises** avec de la crème. C'est très joli et très bon.*	**le fraisier** *Le **fraisier** donne des fraises. Le fraisier est aussi un très bon gâteau.*
la poire *La **poire** n'est jamais ronde. Elle est longue, jaune ou verte.*	**le poirier** *Le **poirier** de mon jardin pousse près d'un mur.*
la pomme *La **pomme** est ronde, rouge, verte, jaune…*	**le pommier** *Ce **pommier** donne des pommes très sucrées.*
la rose *Il y a des **roses** rouges, roses, jaunes, blanches, orange…*	**le rosier** *Attention ! Ne touche pas ce **rosier**. Il est plein d'épines.*
	suffixe : -er (après ch- ou g-)
l'orange *On mange des **oranges** en hiver.*	**l'oranger** ***L'oranger** donne d'abord des fleurs blanches. Ces fleurs sentent très bon, ensuite elles donnent des fruits orange.*
la pêche *La **pêche** est ronde, jaune ou rouge, et elle a un noyau très dur à l'intérieur.*	**le pêcher** *Il y a plusieurs **pêchers** dans mon jardin. Ils donnent des fruits délicieux en été.*

On apprend par cœur !

Un jardin extraordinaire

(avec un petit clin d'œil à Robert Desnos)

Comme c'est étonnant !
*Une fraise dans un **rosier**,*
*Une poire dans un **pommier**,*
*Une rose dans un **cerisier**,*
*Une pêche dans un **saladier**,*
*Une orange dans un **sucrier**,*
*Une pomme dans un **cendrier**,*
*Une cerise dans un **rosier**,*
*Un citron dans un **poivrier**…*
Comme c'est étonnant !
Mais où sommes-nous ?
Chez les matous ?
Chez les papous ?
Ou chez les fous ?

Nous sommes chez les matous ?

9 • Les suffixes -age, -tion

Je passe du verbe au nom, je passe du verbe à l'action, au résultat avec ces quelques lettres : **-age** ou **-tion** (bronzer, bronzage ; inviter, invitation).

Où irons-nous en vacances ?

1   *Est-ce que nous irons* à la mer ? Est-ce que nous irons nager ? Pourquoi pas ? Nous retrouverons la plage, les plongeons dans les vagues, le **bronzage** au soleil ; les **invitations** des amis de **passage**, les **bavardages**, les **discussions**, les **conversations** dans un jardin ou sur le sable encore*

5   *chaud. Mais c'est très agréable pendant une semaine. Ensuite, on s'ennuie ! Et puis, dans ces villes de plage, il y a beaucoup de monde ; on retrouve les **embouteillages** des grandes villes.*

Est-ce que nous irons loin, très loin de chez nous ? Pourquoi pas ? Mais il faut réserver les hôtels, réserver les places d'avion ! Pas de voyage sans

10 ***réservations** ! On imagine déjà le **décollage** et l'**atterrissage** de l'avion. Mais est-ce que c'est bien de partir si loin ? Alors, nous irons peut-être dans une ville de festival. En été, beaucoup de villes organisent des festivals. J'aimerais beaucoup écouter de la musique dans l'odeur de la lavande, dans la chaleur des soirs d'été. Mais l'**organisation** n'est pas*

15 *toujours parfaite, c'est très cher et ce n'est qu'un rêve !*

Alors, nous irons, comme tous les étés, à la campagne, dans la maison des grands-parents.

*Et là, je passerai des jours tranquilles, sans **maquillage**. Je serai en jean ou en short et je ne ferai pas de **repassage**. La vie sera calme, sans*

20 ***communications** téléphoniques, sans **explications**, sans **informations** à la radio ou à la télévision. Je ferai un peu de **jardinage**, de **bricolage**, je lirai, ou je ne ferai rien.*

---

l. **1** : nous irons = futur du verbe aller.

On récapitule

Les verbes	Les noms (masculins) (le suffixe en -age, exprime l'action ou le résultat de l'action)
atterrir *L'avion va **atterrir** bientôt, les passagers bouclent leur ceinture.*	**l'atterrissage** *Ce pilote est un débutant. Quel **atterrissage**! L'avion saute, rebondit sur la piste. Ouf! Enfin, il s'arrête.*
bavarder *Les professeurs n'aiment pas les élèves qui n'écoutent pas, qui parlent, qui **bavardent**.*	**le bavardage** *Arrêtez vos **bavardages**! dit le professeur. Personne n'entend la leçon.*
bricoler *Il a beaucoup d'outils à la maison : des clous, des marteaux, des pinces, il adore réparer, **bricoler**.*	**le bricolage** *Pendant les vacances je lis, je fais des promenades ; mon mari, lui, fait du **bricolage**.*
bronzer *Nous sommes au mois de mars et déjà on vend des crèmes à **bronzer** pour l'été.*	**le bronzage** *Aujourd'hui, les médecins disent que le **bronzage** est dangereux pour la peau.*
décoller *Les passagers bouclent leur ceinture, l'avion roule sur la piste, il va **décoller**.*	**le décollage** *J'adore le moment du **décollage**. L'avion décolle du sol pour s'envoler.*
embouteiller *En vacances, beaucoup d'autoroutes sont **embouteillées**. Beaucoup de voitures roulent en même temps.*	**l'embouteillage** *Six heures du soir. C'est l'heure des grands **embouteillages** dans toutes les grandes villes du monde.*
jardiner *Il passe beaucoup de temps dans son jardin, il passe son temps à **jardiner**.*	**le jardinage** *Ses passe-temps préférés sont la lecture et le **jardinage**.*
maquiller *Elle **maquille** trop ses yeux.*	**le maquillage** *Elle a toujours un **maquillage** léger.*
passer *Je **passe** tous les matins devant l'Opéra.*	**le passage** *Le monde entier a fêté le **passage** à l'an 2000.*

Les verbes	Les noms (féminins) (suffixe en -tion ou -ation/-sion, marque l'action ou le résultat de l'action)
communiquer *Nous parlons beaucoup entre nous.* *Nous **communiquons** souvent entre nous.*	**la communication** *Les moyens de **communication** sont* *nombreux ; la radio, la télé…*
	la conversation *J'aime beaucoup les **conversations*** *où l'on parle de tout et de rien.*
discuter *Je ne peux pas **discuter** avec lui.* *Il n'écoute pas les autres.*	**la discussion** *Les **discussions** politiques sont* *dangereuses pour l'amitié.*
expliquer *Je ne comprends pas, **explique**-moi.*	**explication** *Le professeur donne des **explications*** *à l'élève.*
informer *On nous **informe** que les pilotes d'avion* *seront en grève aujourd'hui…*	**l'information** *J'écoute les **informations** à la radio.*
inviter *Je vous **invite** à mon anniversaire.*	**l'invitation** *J'envoie des cartes d'**invitation** à mes amis* *pour mon mariage.*
organiser *J'**organise** une grande fête ce soir.* *Je suis très occupée.*	**l'organisation** *Je vous félicite. L'**organisation*** *de ce festival est parfaite.*
réserver *Je vais **réserver** des places* *pour six spectacles, l'année prochaine.*	**la réservation** *Je fais des **réservations** à l'agence* *de voyages, je vais cet été en Croatie.*

On apprend par cœur !

Je pars... et je reviens !

Bon voyage !
Par ici les bagages !
Décollage
Bavardage
Bronzage
Sur une plage !
Jardinage
Dans un village !
Et puis,
Retour de voyage !
Atterrissage
Maquillage
Regarde ton image !
Embouteillages
Allez, la voiture au garage !
Repassage...
Et voilà encore le ménage,
Bon courage !

décollage

bavardage

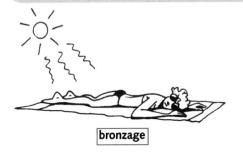

bronzage

jardinage

atterrissage

maquillage

10 • Les suffixes -al(e), -el(le), -ement, -ment

Je passe du verbe au nom, du verbe à l'action ou au résultat de l'action, avec ces quelques lettres : **-ement** → chang**er** → chang**ement**.

Je passe du nom à l'adjectif, du nom au caractère, à la relation, avec ces quelques lettres **-al(e)**, ou **-el(le)** : commerce → commerci**al(e)**, nature → natur**el(le))**.

Je passe de l'adjectif à l'adverbe, de la caractéristique à la manière, avec ces quelques lettres **-ment** : rapide → rapide**ment**.

(voir les préfixes p. 32-33)

C'est la rentrée !

1   *Les vacances sont finies. Et tout recommence. On retrouve la voiture et les **encombr**ements, le métro et les **chang**ements : « Pour aller à Étoile, changez à Concorde » !*

*À la maison, **courageuse**ment, on défait les valises, on fait des **range-***
5   *ments. Et puis on court. Il faut trouver **rapide**ment une place à l'école **matern**elle pour le petit garçon qui n'a pas encore trois ans. Il faut **natu-rell**ement inscrire les enfants aux cours de judo, de danse, au foot : et puis on les conduit* à l'**entraîn**ement. La voiture n'est pas **complète-**ment payée, alors on va à la banque pour les **rembours**ements. On*
10   *pense à un prochain **déménag**ement et à un **emménag**ement dans un appartement plus grand, plus confortable. On prend des **abonn**ements pour le théâtre. On emmène les enfants à la visite **médic**ale ; ils vont bien, **heureuse**ment ! On les emmène **égal**ement au conservatoire. Les*

*enfants suivent un **enseign**ement **music**al. On va au centre **commerci**al pour acheter le matériel scolaire*, une méthode **audiovi-su**elle pour apprendre une langue étran-gère. Et voilà, c'est la vie ! La vie de tous les jours, la vie quotidienne, la vie **habitu**elle qui recommence. C'est **natur**el et c'est **géni**al !*

Dans l'image : ABONNEMENTS 6 SPECTACLES POUR 50 EUROS

15

20

---

l. 8 : on les conduit, présent du verbe conduire (emmener, accompagner).
l. 16 : le matériel scolaire = tous les objets utilisés à l'école.

On récapitule

Des verbes	Des noms masculins avec un suffixe en -ement qui marquent l'action ou le résultat de l'action
abonner *J'**abonnerai** les enfants à un journal pour enfants.*	**abonnement** *Chaque année, elle prend un **abonnement** pour six spectacles à l'Opéra.*
changer *Le monde **change**. Aujourd'hui, le monde est différent du monde d'hier.* *Je sors ce soir, je vais **changer** de robe.*	**changement** *Quel **changement**! Tu as grandi, tu as maigri.* *Dans le métro, on a parfois une ligne directe, parfois une ligne avec des **changements**.*
déménager *Je quitte mon ancien appartement, je **déménage**…*	**déménagement** *J'appelle une entreprise de **déménagement**.*
emménager *Je quitte mon ancien appartement; j'**emménage**, je vais dans un nouvel appartement.*	**emménagement** *Un **emménagement**, c'est très fatigant.*
encombrer *Dans son salon, il y a des meubles partout. Les meubles **encombrent** son salon.*	**encombrement** *Dans les grandes villes, il y a des voitures partout. Et on a des **encombrements**, des embouteillages.*
enseigner *J'**enseigne** le latin au lycée depuis dix ans.*	**enseignement** *Ce professeur a une très bonne méthode d'**enseignement**.*
entraîner *Marc, l'entraîneur, **entraîne** l'équipe de football.*	**entraînement** *Les footballeurs sont à l'**entraînement** tous les jours.*
ranger *Je **range** mes vêtements dans l'armoire.*	**rangement** *Elle est très ordonnée. Elle fait du **rangement** une fois par semaine.*
rembourser *Je prends un crédit à la banque. La banque me prête de l'argent. Je **rembourserai** dans un an.*	**remboursement** *Vous ferez le **remboursement** du crédit à la fin de l'année.*

L'adjectif en -al(e) marque la caractéristique, la relation
commercial(e), pluriel → commerciaux, commerciales *Tous les samedis, elle fait ses courses dans un grand centre **commercial**.*
génial(e), pluriel → géniaux, géniales, qui a du génie, extraordinaire *Cet homme a du génie, il est très intelligent, il est **génial**.*

L'adjectif en -al(e) marque la caractéristique, la relation
médical(e), pluriel → médicaux, médicales, qui concerne la médecine *Est-ce que tu es en bonne santé ? – Je vais passer une visite **médicale**. J'ai rendez-vous chez le médecin.*
musical(e), pluriel → musicaux, musicales, où il y a de la musique, qui concerne la musique *Cette ville a une vie **musicale** riche. Il y a des concerts, des opéras, des cours de musique…*

L'adjectif en -el(le) marque la caractéristique
audiovisuel(le)(s), méthode qui réunit le son et l'image *Est-ce que les méthodes **audiovisuelles** sont bonnes pour l'enseignement des langues ?*
habituel(le)(s), qui est passé à l'état d'habitude, fréquent *Il fait sa promenade **habituelle**. Il sort à 4 heures de chez lui et fait le tour du jardin.*
maternel(le)(s), qui est propre à la mère, qui a un rapport à la mère *Le lait **maternel** est le meilleur pour le bébé.*
naturel(le)(s), relatif à la nature, qui est dans l'ordre des choses *L'amour d'une mère pour ses enfants est **naturel**.*

L'adjectif	l'adverbe en -ment (formé sur l'adjectif féminin)
complet, complète *Elle a les œuvres **complètes** de Shakespeare.*	**complètement** = d'une manière complète *Il a lu le livre **complètement**, de la première à la dernière page.*
courageux, courageuse *Elle est **courageuse**, elle n'a pas peur de sortir seule la nuit.*	**courageusement** = d'une manière courageuse, avec courage *Il travaille avec courage, il travaille **courageusement**.*
égal, égale *Un homme est **égal** à un autre homme. La justice doit être **égale** pour tous.*	**également** = d'une manière égale, aussi *J'aime le théâtre, mais j'aime **également**, j'aime aussi le cinéma.*
heureux, heureuse *Elle vient d'avoir un bébé et elle est très **heureuse**.*	**heureusement** = d'une manière heureuse, par une chance heureuse, par bonheur *Nous faisons un pique-nique ; **heureusement**, il ne pleut pas.*
naturel, naturelle *Elle est triste, c'est **naturel** ; elle a échoué à son examen.*	**naturellement** = d'une façon naturelle, bien sûr *– Tu viens à mon mariage, n'est-ce pas ? – **Naturellement**, bien sûr !*
rapide (m. f.) *Le TGV est un train très **rapide**, ultrarapide.*	**rapidement** = d'une manière rapide, avec rapidité *Je ne peux pas te suivre, tu marches très **rapidement**.*

On apprend par cœur !

C'est la rentrée !

C'est la rentrée !
On est dans les **encombr**ements,
Complètement !
On fait des **rang**ements,
Naturellement !
On prépare les **rembours**ements,
Rapidement !

C'est la rentrée !
On va à l'**entraîn**ement,
Courageusement !
On suit un **enseign**ement,
Heureusement !

On prend également
Un **abonn**ement.

C'est la rentrée !
On court au centre **commerc**ial,
On va à la visite **médic**ale,
On va voir une comédie **music**ale
Géniale...

C'est la rentrée
Habituelle
Naturelle !

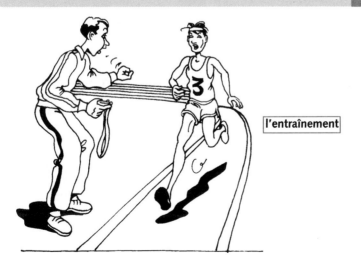

l'entraînement

3 UN, CE N'EST PAS ASSEZ ! LES MOTS COMPOSÉS

1 • Les noms composés

Histoire de famille !

1 *Mon père et ma mère sont parisiens tous les deux mais leurs parents,*
mes grands-parents, ne sont pas parisiens. Mon grand-père maternel*
vient du* sud de la France. Ma grand-mère maternelle aussi. Elle a
encore un petit accent* du Midi. Mes grands-parents paternels, eux,
5 *sont du nord de la France. Ils sont arrivés à Paris, il y a* longtemps.*
Mes deux grands-mères sont encore vivantes, mais mes deux grands-
pères sont morts.

Ma mère a deux sœurs. L'une vit au Canada, l'autre habite sur la côte
Ouest des États-Unis. Elles sont très gentilles, et mon père dit
10 *souvent : « J'ai deux belles-sœurs extraordinaires ! »*

Mes grands-parents maternels ont sept petits-enfants. Trois petites-
filles et quatre petits-fils.

Ce sont les enfants de leurs enfants.

Mon père, lui, n'a qu'un* frère ; ma mère a beaucoup d'affection pour
15 *son beau-frère. Elle dit qu'il est comme un frère pour elle, qu'il est le*
frère qu'elle n'a pas ; il est ingénieur à la RATP*, le métro parisien, et
quand le métro est en grève, toute la famille l'appelle. Ses enfants,
son frère, les parents de sa femme, ses beaux-parents, son beau-père,
et sa belle-mère. Tous lui demandent : « Alors, pourquoi cette grève ?
20 *Qu'est-ce que tu fais ? Tu ne peux rien faire ? » Et lui pense qu'un jour*
il changera de métier.

---

l. 2 : mon grand-père **maternel** : c'est le père de **ma mère**. Le **père** de mon père est mon
grand-père **paternel**.

l. 3 : mon grand-père maternel **vient du** sud de la France. **Venir de = être originaire de**…

l. 4 : un petit **accent du Midi** : les gens du Midi, les gens du sud de la France (Marseille,
Nice…) ont une façon de parler différente de celle des gens du nord, par exemple
de Paris), ils ont un accent. Mais pour les Marseillais, les Parisiens aussi ont un
accent. « Elle a un **petit** accent », cela signifie qu'elle n'a pas beaucoup d'accent.

l. 5 : Ils sont arrivés à Paris, **il y a** longtemps : expression qui marque le temps passé.
Nous sommes en 2005, mes grands-parents sont arrivés à Paris, en 1920. Ils sont
arrivés **il y a** longtemps, **il y a** 75 ans.

l. 14 : mon père **n'a qu'**un frère : **ne… que** = Il a un frère **seulement**, un seul frère, et ce
n'est **pas beaucoup**.

l. 16 : **la RATP** = la **r**égie **a**utonome des **t**ransports **p**arisiens (voir les Sigles p. 180).

On récapitule

Un nom composé est un nom formé de deux mots ou plus : on associe des noms, des adjectifs, des verbes, des participes, des prépositions, des adverbes.

beau, beaux, belle (s)	beau-père, belle-mère, beaux-parents
Adjectif variable. *Dans ce musée, il y a de très **beaux dessins** de Léonard de Vinci.* **Remarque grammaticale :** devant l'adjectif pluriel, l'article indéfini « des » → « de ».	Associé à *père, mère, parents, frère, sœur,* « **beau** », varie mais il n'a plus son premier sens, il sert seulement à indiquer une parenté : **le beau-père** = le père de la femme ou du mari ; **la belle-mère** = la mère de la femme ou du mari ; **les beaux-parents** = les parents de la femme ou du mari. **Remarque grammaticale :** au pluriel, l'article indéfini « des » reste « des » : ***des*** *beaux-parents.* Le nom, ici, n'est pas « père », « mère », « parents », mais « beau-père », « belle-mère », « beaux-parents », ce sont des noms composés. *Ma sœur a **des beaux-parents** extraordinaires. Ils sont très gentils avec elle, très généreux.*
grand(s), grande(s)	grand-père, grand-mère, grands-parents
Adjectif variable. *Jean mesure 1,95 m, il est très **grand**. Nous habitons dans un grand appartement. Nous avons **de grandes pièces**.* **Remarque grammaticale :** devant l'adjectif pluriel, l'article indéfini « des » → « de ».	Associé à *père, mère, parents,* « **grand** » varie, mais seulement en nombre et pas en genre. Il n'y a pas de féminin. Et il n'a plus son premier sens, il sert seulement à indiquer une parenté. *Mon **grand-père** est le père de mon père ou de ma mère.* *Ma **grand-mère** est la mère de mon père ou de ma mère.* *Mes **grands-parents** sont les parents de mon père ou de ma mère.* **Remarque grammaticale :** au pluriel, l'article indéfini « des » reste « des » : ***des grands-parents***. Le nom, ici, n'est pas « père », « mère », « parents», mais « grand-père », « grand-mère », « grands-parents ». Ce sont des noms composés. *J'ai **des grands-parents** merveilleux. Ils parlent et jouent avec moi. Nous allons ensemble au cinéma.*

petit(s), petite (s)	petit-fils, petite-fille, petits-enfants
Adjectif variable. *Pierre mesure 1,55 m, il est très **petit**.* *Au marché, j'achète des tomates, **de petites** tomates, des tomates cerise.*	Associé à *fils, fille, enfants*, « **petit** » varie, mais il n'a plus sons premier sens, il sert seulement à indiquer une parenté. *Mon **petit-fils** est le fils de mon fils ou de ma fille.* *Ma **petite-fille** est la fille de mon fils ou de ma fille.* *Mes **petits-enfants** sont les enfants de mon fils ou de ma fille.*
Remarque grammaticale : devant l'adjectif pluriel, l'article indéfini « des » → « de ».	**Remarque grammaticale :** au pluriel, l'article indéfini « des » reste « des » : ***des** petits-enfants*. Le nom, ici, n'est pas « fils », « fille », « enfants », mais « petit-fils », « petite-fille », « petits-enfants ». Ce sont des noms composés. *Mon frère a **des petits-enfants** adorables. Ils sont souvent avec lui, ils sortent avec lui, ils vont avec lui chez le médecin.*

On apprend par cœur !

Guirlande familiale

*Mon **grand-père** est le père*
de ma mère... ou de mon père !
*Ma **grand-mère** est la mère*
de mon père... ou de ma mère !
*Mes **grands-parents***
sont les parents de mes parents.
Mes grands-parents, ne sont pas grands.
*Moi, je suis leur **petit-fils**,*
*Ma sœur est leur **petite-fille**.*
*Nous sommes leurs **petits-enfants***
et nous sommes très grands !
Ma sœur mesure 1,86 m
et moi, 1,90 m !
*Qui est ma **belle-sœur** ?*
C'est la femme de mon frère
... ou la sœur de ma femme !
*Qui est mon **beau-frère** ?*
C'est le frère de ma femme
... ou le mari de ma sœur !
Ma belle-sœur n'est pas très belle,
Mon beau-frère n'est pas très beau.
Ils ne sont pas laids non plus, ils sont normaux.
*Qui sont mes **beaux-parents** ?*
Ce sont les parents de ma femme !
*Ma **belle-mère** n'est pas très belle,*
*mon **beau-père** n'est pas très beau.*
Ils ne sont pas laids non plus, ils sont normaux.

*Ma femme est la **belle-fille** de mes parents, ma femme est blonde*
Et ma femme est la plus belle fille du monde !

grand-père — grand-mère — petite-fille — petit-fils

2 • Les noms composés (suite)

Par ici, la visite !

1 *Je viens d'emménager dans un **deux-pièces**. L'appartement n'est pas à moi, je ne suis pas propriétaire. Je suis seulement locataire. Je loue l'appartement. Et maintenant, suivez le guide, la visite va commencer ! Mon appartement est au **rez-de-chaussée**, près des **boîtes à lettres**.*

5 *Mes amis disent : « C'est dangereux ! Un jour, quelqu'un entrera par la fenêtre. Les passants* te voient. ». Mais mon appartement est moins cher parce qu'il est au rez-de-chaussée, et j'ai de bons barreaux à mes fenêtres et moi aussi, je regarde les gens qui passent ! Et surtout, je n'ai pas peur des **pannes d'ascenseur** !*

10 *Ça, c'est l'entrée : au mur, il y a un **portemanteau** et dans un coin, un **porte-parapluie(s)**. De l'entrée, on passe à la **salle de séjour**, qui est aussi la **salle à manger**. De là, on va à la **chambre à coucher**. Admirez ma jolie **table de nuit** et ma **lampe de chevet** avec son **abat-jour** rouge qui donne une lumière extraordinaire. Sur ma table de nuit, il y a ma*

15 ***bande dessinée** préférée, c'est un vrai **chef-d'œuvre**. La **salle de bains** est petite mais elle est moderne. Il y a un **porte-serviettes** rond en inox. Et maintenant, allons dans la cuisine. J'ai une machine qui est à la fois cuisinière, four et **lave-vaisselle**. J'ai même de la place pour un petit **lave-linge**. Je prends mon **petit déjeuner** dans la salle de séjour devant*

20 *ma fenêtre fleurie de géraniums et de lavande et je suis la plus heureuse des femmes.*

fenêtre à barreaux

rez-de-chaussée

---

l. 6 : les passants = les gens qui passent dans la rue, qui vont et viennent.

80

On récapitule

Un nom composé est un nom formé de deux mots ou plus : on associe des noms, des adjectifs, des verbes, des participes, des prépositions, des adverbes...

<table>
<tr><td colspan="1" align="center">DEUX MOTS RELIÉS PAR UN TRAIT D'UNION</td></tr>
</table>

verbe + nom collectif ou abstrait

Le verbe est toujours invariable.
Un nom collectif ou abstrait, comme *linge, vaisselle, jour*, reste invariable.

un abat-jour, des abat-jour

*La lumière de la lampe est très forte, j'achète un **abat-jour** pour adoucir la lumière.*

un lave-linge, des lave-linge
*Mon linge est sale, je le mets dans le **lave-linge** et je suis tranquille.*

un lave-vaisselle, des lave-vaisselle
*Je déteste laver les assiettes, les couteaux, les verres, les grands plats... Heureusement, j'ai un **lave-vaisselle** !*

verbe + nom concret

Le verbe est toujours invariable.
Un nom concret, un nom d'objet, comme *parapluie, serviette*, peut varier.

un porte-parapluie(s), des porte-parapluies
*Il pleut dehors. Ton parapluie est mouillé, mets-le vite dans le **porte-parapluies**. Tu vas salir le parquet.*

un porte-serviette(s), des porte-serviettes
*Je vais mettre une serviette propre sur le **porte-serviettes**.*

Exception (sans trait d'union) :
un portemanteau, des portemanteaux
*Accroche ton chapeau au **portemanteau**.*

adjectif + nom

L'adjectif et le nom sont variables.

un petit-déjeuner, des petits-déjeuners
On peut écrire aussi : **un petit déjeuner, des petits déjeuners** (sans trait d'union)
*Au **petit déjeuner**, elle ne mange qu'une biscotte avec un peu de confiture. Et elle boit une tasse de thé.*

chiffre + nom
un deux-pièces, des deux-pièces
*Quand on vit seul, un **deux-pièces**, c'est suffisant.*

DEUX MOTS SANS TRAIT D'UNION

nom + participe passé

Les deux mots varient.

une bande dessinée, des bandes dessinées
*La **bande dessinée** la plus célèbre en France est* Astérix.

TROIS MOTS

nom + préposition « à » ou « de » + infinitif ou nom, sans trait d'union
une boîte à lettres, des boîtes à lettres

*Tous les matins, le facteur passe et dépose le courrier dans les **boîtes à lettres**.*

la chambre à coucher, les chambres à coucher
*Dans ma **chambre à coucher**, j'ai un lit, une armoire, une commode et une table de nuit.*

la salle à manger, les salles à manger
*Dans la **salle à manger**, il y a une table ronde, un buffet et plusieurs chaises.*

une lampe de chevet, des lampes de chevet
*Ma **lampe de chevet** est en bois et je l'allume quand je ne peux pas dormir.*

une salle de bains, des salles de bains
*La **salle de bains** est près de ma chambre. Dès que je me lève, je vais sous la douche.*

une salle de séjour, des salles de séjour
*La **salle de séjour** est grande. Il y a une bibliothèque, un canapé confortable, trois fauteuils, une table basse.*

une table de nuit, des tables de nuit
*J'ai beaucoup de choses sur ma **table de nuit**. Une lampe de chevet, des livres, un réveil, des mouchoirs...*

nom ou forme ancienne d'un adjectif + « de » + nom avec trait d'union
un chef-d'œuvre, des chefs-d'œuvre
*Les grands musées contiennent des **chefs-d'œuvre**.*

un rez-de-chaussée, des rez-de-chaussée
*En général, les magasins sont situés **au rez-de-chaussée** des immeubles.*

On apprend par cœur !

C'est un appartement très agréable !

C'est un appartement très agréable,
Très confortable !
*Vous avez faim ? Hop, à la **salle à manger** !*
*Vous voulez dormir ? Voici la **chambre à coucher** !*
Vous voulez vous laver les mains ?
*Voici la **salle de bains** !*
*Vous voulez lire un une **bande dessinée** ?*
*Vous allumez la **lampe de chevet**.*
Vos amis arrivent ? Bonjour, bonjour !
*Et vous voilà dans la **salle de séjour**.*
Vous avez faim la nuit ?
Voici quelques fruits, quelques biscuits
*Sur la **table de nuit** !*
Vous voulez vous promener ?
*Vous quittez votre **rez-de-chaussée**.*

lampe de chevet

table de nuit

3 • **Les noms composés** (suite)

Quel est le menu ?

1 *Ouf! Enfin, j'arrive chez moi. Mon **portefeuille** et mon **porte-monnaie** sont vides, mais mon Caddie est plein. Qu'est-ce qu'il y a dedans ? Il y a des **pommes de terre**, des **choux-fleurs**, des **petits pois**, des **pois chiches**. Je vais faire une bonne soupe comme ma mère en faisait. Puis*
5 *avec de la viande, des carottes, des navets, des poireaux… je préparerai un **pot-au-feu**. Comme entrée*, je servirai du **foie gras**, et je ferai griller* quelques tranches de pain au **grille-pain** pour l'accompagner. Enfin nous mangerons un gâteau. Mais lequel ? Un **paris-brest** ? Un **saint-honoré** avec de la **crème fouettée** ou tout simplement du **pain perdu** ?*
10 *Ou, pourquoi pas des **petits fours** avec le café ? Bon, je vais réfléchir. Je sors une bouteille de vin. Mais je ne trouve plus le **tire-bouchon**. Comment je vais ouvrir la bouteille ? Je sonne chez le voisin. Personne ! Je n'ai pas le temps d'aller acheter un tire-bouchon, alors, nous boirons du* ***Coca-Cola***. *Non, c'est impossible ! Avec la soupe, le pot-*
15 *au-feu et le foie gras, pas de Coca !*

---

l. 6 : une entrée = plat servi au début du repas.

je ferai griller : faire + infinitif. Je mets les tranches de pain dans le grille-pain, les tranches de pain grillent → Je fais griller des tranches de pain.

On récapitule

DEUX MOTS RELIÉS PAR UN TRAIT D'UNION

verbe + nom

Le verbe est toujours invariable.
Un nom collectif ou un nom de matière, comme *pain*, *monnaie*, reste invariable.
Un nom concret ou un nom d'objet varie.

un grille-pain, des grille-pain
*Le matin, au petit déjeuner, je mets une tranche de pain dans le **grille-pain** et je mange ce toast avec de la confiture.*

un porte-monnaie, des porte-monnaie
*J'ai quelques pièces dans mon **porte-monnaie**.*

un tire-bouchon, des tire-bouchons
*J'ouvre la bouteille de vin avec un **tire-bouchon**.*

nom + nom

Au pluriel, les deux noms varient, mais pas les noms de matière ni les noms déposés.

un chou-fleur, des choux-fleurs
*Je fais une salade de **choux-fleurs**.*

du Coca-Cola
*Les enfants aiment beaucoup le **Coca-Cola**.*

un paris-brest, des paris-brest
*Un **paris-brest** ? Qu'est-ce que c'est ? C'est une couronne de pâte à chou ; dedans, il y a de la crème, et dessus, des amandes.*

adjectif + prénom

un saint-honoré, des saint-honoré
*Le **saint-honoré** est un gâteau délicieux.*

DEUX MOTS SANS TRAIT D'UNION

nom + nom

Au pluriel, les deux noms varient.

un pois chiche, des pois chiches
*Le **pois chiche** est un légume sec, petit, rond.*

nom + adjectif

un foie gras, des foies gras, ou du foie gras
*Je n'aime pas le **foie gras**. C'est un foie malade.*

nom + participe passé

la crème fouettée
*On appelle aussi la **crème fouettée** la crème Chantilly.*

le pain perdu
*Recette du **pain perdu** : prenez des tranches de pain sec, mettez ces tranches dans du lait, puis dans de l'œuf. Dans la poêle, laissez dorer, sortez du feu et sucrez…*

adjectif + nom
Attention : L'article indéfini pluriel « des » ne change pas devant l'adjectif d'un nom composé. L'adjectif fait partie du nom. Le nom, c'est l'adjectif + le nom.

un petit pois, des petits pois

*Je mange souvent une tranche de viande avec des **petits pois**.*

un petit four, des petits fours

*Il y a des **petits fours** dans l'assiette ; des petits fours secs, des petits fours frais, comme les petits éclairs, les petits choux...*

TROIS MOTS SANS TRAIT D'UNION OU AVEC TRAIT D'UNION

nom + préposition + nom
une pomme de terre, des pommes de terre
*Les enfants adorent les frites qu'on fait avec des **pommes de terre**.*

un pot-au-feu, des pot-au-feu

*Dans la cuisine, on sent la bonne odeur du **pot-au-feu**, l'odeur des navets, des poireaux, des carottes, des oignons, du céleri et de la viande...*

On apprend par cœur !

Comptine !

Petits pois
Pois chiches
Petits fours
Grille-pain
Pain perdu

Saint-honoré
Crème fouettée
Foie gras
Coca-Cola

Chou-fleur
Pot-au-feu
Paris-brest
Pomme de terre

Tire-bouchon

4 • Les noms composés (suite)

En week-end !

1 Pendant le **week-end**, les Parisiens* quittent souvent la capitale, surtout au printemps, en été et même* en automne. Certains prennent un
aller-retour en train et vont même dans le sud. Aujourd'hui, c'est très
facile avec le TGV.*

5 D'autres donnent **rendez-vous** à des amis et font de l'**auto-stop** pour
aller camper au bord de la mer, ou bien à l'est, vers les montagnes. Dans
leur **sac à dos**, ils mettent un **sac de couchage**, une **lampe torche**, un
pull-over, quelques affaires et ils partent. Ils partent un matin ou un
après-midi. Ils rencontreront une voiture dans une **station-service** ou
10 au bord d'une route. Ils dormiront dans un **gîte rural**, dans une
auberge de jeunesse ou dehors. D'autres encore, avec une simple
carte orange, prendront un train de banlieue pour une promenade
dans une forêt proche de Paris.

15 Ils respireront l'air pur de la mer, de la montagne ou de
la campagne, puis ils retrouveront le dimanche soir les
embouteillages et l'air bien pollué de leur ville...

l. 1 : les Parisiens : ici, c'est un nom, et on met donc une majuscule.
l. 2 : et même = et aussi.
l. 4 : TGV. = train à grande vitesse.

On récapitule

DEUX MOTS RELIÉS PAR UN TRAIT D'UNION
verbe pronominal à l'impératif **un rendez-vous, des rendez-vous** *J'ai **rendez-vous** avec un ami à trois heures. Je vais le voir à trois heures.*
nom + nom Au pluriel, les deux noms varient. **un aller-retour, des allers-retours** *Un **aller-retour** Paris Marseille-Paris, s'il vous plaît. »* **une station-service, des stations-service(s)** *Je n'ai plus d'essence dans la voiture, je vais m'arrêter dans une **station-service** pour en prendre.*
préposition + nom **un(e) après-midi** (ce nom est masculin ou féminin, et il est invariable). *Je passerai l'**après-midi** au jardin avec les enfants.*
noms composés, anglicismes **l'auto-stop** *L'**auto-stop** est un moyen commode pour voyager. On arrête des voitures. Et on voyage sans payer.* **un pull-over, des pull-overs** *Brrr… Il fait un peu frais. Je vais mettre un **pull-over**.* **le week-end, les week-ends** *La fin de semaine, le **week-end** est un moment heureux pour beaucoup de gens.*
DEUX MOTS SANS TRAIT D'UNION
nom + nom Au pluriel, les deux noms varient. **une lampe torche, des lampes torches** *La nuit, quand je me promène dans le jardin, j'ai besoin d'une **lampe torche** pour voir où je vais.*
nom + adjectif Les deux varient sauf quelques adjectifs de couleur invariables. **une carte orange, des cartes orange** *Beaucoup de Parisiens utilisent une **carte orange** pour aller en métro à leur travail.* (Attention, orange est un adjectif de couleur invariable, tiré d'un nom de fruit) **un gîte rural, des gîtes ruraux** *Un **gîte rural** est un logement à la campagne qui reçoit des voyageurs de passage. C'est comme un hôtel de campagne.*

TROIS MOTS SANS TRAIT D'UNION
nom + « à » ou « de » + nom

un sac à dos, des sacs à dos
*Aujourd'hui, le **sac à dos** est très à la mode. Ce n'est pas seulement un sac
pour les promenades, c'est aussi un sac de ville.*

une auberge de jeunesse, des auberges de jeunesse
*Quand on est jeune et qu'on n'a pas beaucoup d'argent, on fait de l'auto-stop,
on dort dans **des auberges de jeunesse**.*

un sac de couchage, des sacs de couchage
*À l'auberge de jeunesse, il n'y a pas de draps, je dors dans mon **sac de couchage**.*

On apprend par cœur !

Sur la route

*Je prends mon **sac à dos**.*
Je mets mon chapeau
Et je pars !
Pas en autocar
Ni en train
C'est certain !
Ni en voiture,
Vive l'aventure !
Mais voilà la nuit !
Pas un bruit !
*Je fais un **aller-retour** ?*
*Ou un **demi-tour** ?*
*À la **station-service***
J'achète du dentifrice.
*Où est le **gîte rural** ?*
J'entends le cri d'un animal !
*Où est l'**auberge de jeunesse** ?*
Je n'ai pas l'adresse.
Courage !
*J'ouvre mon **sac de couchage***
Et je regarde les étoiles ! Je suis de passage.

5 • Les locutions adverbiales

Chacun cherche son chemin !

1 *Je suis dans la rue avec mon chien. Il est 6 heures. Tous les matins, je sors mon chien de bonne heure, avant d'aller* au travail, et nous tournons autour des arbres. En haut, le ciel est gris, noir. Il va pleuvoir. Un voisin passe.*

5 *– Bonjour, ça va ? Et toi mon toutou, ça va ? Oh, du calme, du calme, mais il va me manger ! Il n'est pas content. Allez, au revoir, je vais acheter ma baguette pour le petit-déjeuner, alors à bientôt, à tout à l'heure ou à demain peut-être !*

Mais voilà un touriste.

10 *– Pardon, madame, où est le métro, s'il vous plaît ? Est-ce qu'il est loin d'ici ?*

– Oh non, c'est à côté. Vous allez tout droit, dans la rue en face, puis vous tournez à gauche, et ensuite dans la première rue à droite ; là, vous avez un escalier ; en bas, vous trouverez la station de métro.

15 *– Mais ce n'est pas à côté, c'est loin ! J'ai un rendez-vous important à 9 heures, et je voudrais être à l'heure à mon rendez-vous. Je n'aime pas arriver en retard. Je préfère même être un peu en avance. Il n'y a pas une autre station de métro ?*

– Oui, mais elle est plus loin, là-bas !

20 *Mon chien court à droite, à gauche, où est-il maintenant ? Il est sous une voiture. Je l'appelle :*

– Panda, sors de là, ne reste pas là-dessous ! Viens tout de suite !

Le touriste est toujours là.

– Est-ce qu'il y a une station de métro à côté ?

25 *– Mais oui, vous allez tout droit, dans la rue, en face, puis vous tournez à gauche... !*

– Bon, bon, merci madame, au revoir...

---

l. 2 : avant d'aller... = avant de + infinitif. **Je** vais au travail à 8 heures, mais avant, à 6 heures, **je** sors mon chien. → Je sors mon chien avant d'aller au travail.

On récapitule

La locution est un mot composé, formé de deux mots ou plus.
La locution adverbiale est un adverbe composé.

Locutions adverbiales de lieu	Locutions adverbiales de temps
à côté *Le métro n'est pas loin, il est là, tout près, **à côté**.*	**à bientôt** *Au revoir, **à bientôt** !*
à droite *Quand vous tournez **à droite**, en voiture, vous mettez le clignotant.*	**à demain** *Nous sommes lundi. Je vous vois mardi. Alors, au revoir et **à demain**.*
à gauche *Quand vous tournez **à gauche**, à bicyclette, tendez le bras gauche.*	**à l'heure** *Soyez **à l'heure**, s'il vous plaît. Le rendez-vous est à 3 heures, soyez là à 3 heures.*
en bas *À la fenêtre de son 10e étage, elle regarde dehors, **en bas**, en haut.*	**à tout à l'heure** *– Attends-moi, je reviens ! – D'accord, alors, **à tout à l'heure** !*
en face 	**au revoir** *– À l'année prochaine ! – Oui, **au revoir** !*
en haut *Elle habite au 10e étage. Elle est souvent à sa fenêtre, elle aime regarder **en haut**, en bas.*	**de bonne heure** *Je me réveille toujours **de bonne heure**. À 5 heures ou à 6 heures.*
là-bas *Ici, c'est le Louvre, et plus loin, **là-bas**, c'est l'Arc de triomphe.*	**en avance** *Le rendez-vous est à 3 heures. Il est 2 h 30, je suis **en avance**.*
là-dessous *Où est le chat ? Peut-être sous le canapé ? Il adore dormir **là-dessous**.*	**en retard** *Le rendez-vous est à 3 heures. Il est déjà 3 h 30, je suis **en retard**.*
	tout de suite *Reste là, je reviens **tout de suite**. Il est 10 heures. Je reviens à 10 h 05.*

On apprend par cœur !

Chanson folle

Entrez dans la danse,
*On est **en avance** !*
Silence, les bavards,
*On est **en retard** !*
***Au revoir et à demain**...*
Salut, les copains !
*Mettez vos montres **à l'heure**,*
*On arrivera **de bonne heure** !*
Il est très tôt,
On prend les vélos.
*Regardez **en haut**,*
Le soleil est chaud.
*Regardez **en face**,*
La vie passe.
*Les gens vont **en bas**,*
***à droite**, **à gauche**, ça va, ça va !*
Ne poussez pas ! Oh la, la !

en retard

en haut

en bas

à droite

à gauche

6 • Les locutions verbales

Enfance

1 Un enfant *a besoin du* lait de sa mère, de l'amour de ses parents.

Il *a envie de* la petite voiture rouge dans la vitrine du magasin, de tous les bonbons du monde, il a envie de rester à la maison devant la télévision.

5 Il *a peur du* loup. Le loup *fait peur aux* enfants.

Quand un enfant *a faim*, qu'est-ce qu'il mange ? Des pâtes et des frites.

Quand il *a soif*, qu'est-ce qu'il boit ? « Du Coca, s'il vous plaît ? » C'est vrai, le Coca *fait plaisir aux* enfants, mais, non, pas de Coca, pas de soda pour un enfant, de l'eau !

10 Il fait encore jour, il ne fait pas encore nuit, l'enfant n'a pas sommeil, mais il va au lit et il dort.

Quand un enfant grandit, il a mal aux dents ; quand il marche, il a mal aux pieds ; quand il va à l'école, il porte un cartable très lourd qui lui fait mal au dos.

15 Quand il fait froid, l'enfant n'a pas froid ; quand il fait chaud, il n'a pas chaud ; quand il fait mauvais, il a envie d'aller à la piscine ; quand il fait bon, il a envie de rester à la maison. Un enfant entend toujours : « Fais attention, tu vas tomber ! Fais attention, n'attrape pas froid. Fais attention, il y a une faute dans ton addition... ».

20 Quand il sera grand, il aura encore besoin d'amour, il aura encore envie d'une voiture rouge, il aura encore peur. Mais il sera un adulte sérieux, il aura rendez-vous avec des gens importants, et parfois il aura honte de ne plus être un enfant.

Il a sommeil.

Il a honte.

On récapitule

La locution verbale est un verbe formé de deux mots ou plus.

Locutions verbales avec avoir (+ nom ou adjectifs qui restent invariables)	Locutions verbales avec faire (« il » est un pronom impersonnel)
avoir besoin de… *C'est l'hiver, **j'ai besoin** d'un manteau.*	**il fait bon, il fait beau** *C'est le printemps, le ciel est bleu,* *le temps n'est ni chaud ni froid,* ***il fait bon, il fait beau.***
avoir chaud *C'est l'été, la température extérieure* *est de 30°, **nous avons chaud**.*	**il fait chaud** *40° ! **Il fait chaud**, il fait très chaud !*
avoir envie de… *J'ai déjà un manteau, je n'ai pas besoin* *d'un manteau, mais ce manteau est très beau,* ***j'ai envie de** ce manteau.* *Quels bons gâteaux, **j'ai envie de** manger* *tous ces gâteaux !*	**il fait froid** *– 30° ! **Il fait froid** au Canada !*
avoir faim *Elle ne mange pas le matin. Mais à midi,* ***elle a faim**.*	**il fait jour** *C'est l'été ! À Paris, à cinq heures du matin,* *il fait déjà jour ! et à 8 heures du soir,* ***il fait** encore **jour** !*
avoir froid *C'est l'hiver et elle n'a pas de manteau,* ***elle a froid**.*	**il fait nuit** *C'est l'hiver. À 8 heures du matin,* ***il fait** encore **nuit**.* *Le soleil n'est pas encore là.*
avoir honte (de) *Mon devoir est très mauvais, **j'ai honte**.*	**faire attention (à)** ***Fais attention** à la marche, tu vas tomber.*
avoir mal (à) ***J'ai mal aux** dents, je vais chez le dentiste.*	**faire mal (à)** *Mes chaussures sont trop petites pour moi,* *mes chaussures me **font mal aux** pieds.*
avoir peur (de) *Elle ne monte pas dans l'ascenseur.* ***Elle a peur de** monter en ascenseur.* ***Elle a peur des** araignées.*	**faire peur (à)** *Les clowns **font peur** parfois **aux** enfants.* *Les enfants ont peur et ils pleurent quand* *ils voient les clowns avec leur maquillage.*
avoir raison (de + *infinitif*) *– Il va pleuvoir.* *– Tu **as raison**, voilà les premières gouttes* *de pluie.*	**faire plaisir (à)** *Venez dîner demain soir à la maison,* ***vous me ferez plaisir**, ce sera agréable.*

avoir rendez-vous *N'oublie pas, nous **avons rendez-vous**,* *mardi prochain à 14 heures.*	
avoir soif *Il fait chaud, **j'ai soif**. J'ai envie de boire* *un verre d'eau glacée.*	
avoir sommeil *Il est deux heures du matin et je travaille* *encore. Je n'**ai** pas **sommeil**.*	

On apprend par cœur !

J'ai faim...

J'ai faim, je mange.
Hum, la bonne orange !
J'ai soif, je bois.
Un verre d'eau ? Non, trois !
Il fait froid, j'ai froid, je mets un pull-over,
Et voilà le tonnerre !
J'ai peur, je ferme les yeux,
Oui, les deux !
J'ai mal aux dents,
Aïe, aïe, c'est le sucre des aliments !
J'ai sommeil,
J'ai mon réveil.
Il fait chaud, j'ai chaud, voilà un ventilateur !
Et dehors, la chaleur !
Il fait bon,
Je vais sur le balcon !
Il fait mauvais,
Un parapluie, s'il vous plaît !
Il fait jour,
Bonjour, bonjour !
Il fait nuit,
Chut ! Pas de bruit !

ON COMPREND
LES MOTS

1 QUAND LES MOTS S'OPPOSENT

1 • Les antonymes : adjectifs et noms

■ Les caractéristiques qui s'opposent.

(voir les suffixes p. 49 à 51, 55 à 59, et p. 144 à 146)

Histoire de quartiers

1   *Il y a un quartier où les maisons sont **basses**, où les rues sont **étroites** et **vides**, où les arbres sont **nombreux**, où la vie passe, **lente**, **calme**, **tranquille**.*

*Les gens qui habitent là sont **âgés**, **vieux**; ils sont **petits** et **faibles**,*
5   *souvent **malades**. Pour eux, un petit panier est très **lourd**. Ils regardent la télévision et à cinq heures, dans des tasses anciennes et **fragiles**, ils boivent du thé, un thé **léger** et très **sucré**. Ils sont presque toujours **seuls**. Ils vivent dans le **passé**, ils ne pensent plus à l'**avenir**.*

*Même en été, les femmes portent des vêtements **sombres**, **épais**, **vieux**;*
10 *les hommes sont en costume. Ils aiment rester chez eux; ils pensent parfois à la **mort** et ils disent : « La vie est **courte**, profitez, vivez ! »*

*Dans l'autre quartier, les maisons sont **hautes** comme les gratte-ciel de New York; les rues sont **larges**, les arbres sont **rares** et la vie est très **animée**, très **rapide**. Les stades sont toujours **pleins**, les voitures*
15 *roulent très vite. Les gens qui vivent ou travaillent là sont **jeunes**, **forts**, **grands**. Ils sont **bien portants**, en bonne santé, **solides**, sportifs. En été, leurs vêtements sont **clairs**, colorés, **légers**, souvent **neufs**. Ils portent des sacs en cuir, **solides**, très **lourds**. Ils marchent vite, ils sortent en groupe; ils sont souvent **ensemble**, ils ne restent pas chez eux,*
20 *ils mangent dans des restaurants, et après le repas, ils boivent du café **fort**, bien noir, sans sucre, **amer**. Ils vont le soir au cinéma et pour eux, il n'y a que le **présent**, il n'y a qu'aujourd'hui, il n'y a que la vie, la vie encore **longue** devant eux.*

On récapitule

Les anatonymes sont des mots de sens contraire, opposé. On oppose des qualités, des caractéristiques.

■ Les adjectifs...   **... et leurs contraires**

âgé(e)(s), vieux, vieille(s) *Cette femme a quatre-vingt-cinq ans, elle est **âgée**.*	**jeune(s)** (seulement pour les personnes) *Son petit-fils a vingt-six ans, il est **jeune**.*
bas, basse(s) *Dans mon salon, j'ai une table **basse** devant le canapé.* *Elle parle à voix **basse**, personne ne l'entend.*	**haut(s), haute(s)** *En Inde, les montagnes sont très **hautes**.* *Il parle toujours à voix **haute**.*
calme(s)/tranquille(s) *La nuit, la rue est très **calme**. Il n'y a pas de voitures, il n'y a personne, les gens dorment.*	**animé(e)(s)** *Certains quartiers de Paris sont très **animés** la nuit. Les voitures roulent, les gens vont et viennent, ils entrent dans un cinéma...*
court(e)(s) *Aujourd'hui, beaucoup de garçons préfèrent avoir les cheveux très **courts**, 1 cm sur la tête.*	**long(ue)(s)** *Mon amie a des cheveux très **longs**.* *Ils descendent jusqu'à la ceinture.*
épais, épaisse(s) *Il fait froid, je porte des vêtements, chauds, **épais**.*	**léger(s), légère(s)** *C'est l'été, les gens portent des vêtements **légers**.*
étroit(e)(s) *Cette rue a 1 mètre de large, elle est très **étroite**.*	**large(s)** *L'avenue des Champs-Élysées à Paris est très **large**.*
faible(s) *Cette femme est malade : elle est **faible**.*	**fort(e)(s)** *Mon ami porte deux grandes valises en même temps, il est très **fort**.*
fragile(s) *Attention, ce verre est **fragile**.* *Tu peux le casser !* *Elle est toujours malade, elle a une santé **fragile**.*	**solide(s)** *La vieille armoire en bois est **solide**. Elle est dans la famille depuis 150 ans.* *Elle n'est jamais malade, elle est **solide**.*
léger(e)(s), légère(s) *Ne laisse pas longtemps le thé dans la théière. Je n'aime pas le thé fort, j'aime le thé **léger**.*	**fort(e)(s)** *Moi, j'aime le thé bien **fort**, le café bien **fort**, bien noir.*
lent(e)(s) *Elle vieillit, elle met deux heures à s'habiller, elle est très **lente** maintenant.*	**rapide(s)** *Le TGV (train à grande vitesse) est très **rapide**.*
lourd(e)(s) *Cette grande armoire en bois est très **lourde**.*	**léger(s), légère(s)** *Ma feuille de papier est **légère**.*
malade(s) *– Où est Alice ? Elle est encore absente ?* *– Oui, elle est **malade**. Elle a la grippe.*	**bien portant(e)(s), en bonne santé** *Elle n'est jamais malade, elle ne va pas souvent chez le médecin, elle est **bien portante**, elle est **en bonne santé**.*

nombreux, nombreuse(s)	rare(s)
*Il est midi et demi, les passants sont **nombreux**.*	*Il est 3 heures du matin, les passants sont **rares**.*
petit(e)(s)	**grand(e)(s)**
*Son appartement fait 20 m², il est **petit**.*	*Son appartement fait 300 m² ; il est **grand**.*
seul(e)(s)	**ensemble** (adverbe invariable)
*Son mari est mort, ses enfants sont loin, elle vit **seule**.*	*Ces deux amies travaillent **ensemble**. Elles sont toujours l'une avec l'autre.*
sombre(s)	**clair(e)(s)**
*Elle porte des vêtements noirs, marron, elle porte des vêtements **sombres**. La nuit, quand il y a des nuages, le ciel est **sombre**.*	*Elle aime le jaune, le rose, le blanc, toutes les couleurs **claires**. Il y a du soleil, ma chambre est très **claire**.*
sucré(e)(s)	**amer, amère(s)** (au masculin et au féminin, on entend le « r » final)
*– Tu veux un ou deux morceaux de sucre dans ton café ? – Trois, s'il te plaît, j'aime le café très **sucré**.*	*Moi, je ne mets pas de sucre dans mon café. J'aime le café **amer**.*
vide(s)	**plein(e)(s)**
*Il n'y a plus d'eau dans mon verre, mon verre est **vide**.*	*Il y a beaucoup de monde dans le café, le café est **plein**.*
vieux, vieille(s)	**neuf(s), neuve(s)** (seulement pour les choses)
*Elle n'a pas d'argent. Elle porte un **vieux** manteau.*	*Chaque année, elle achète un manteau **neuf**.*

■ **Les noms**

la maladie	la santé
*La grippe est une **maladie** très fréquente en hiver.*	*Bonne année, bonne **santé** !*
la mort	**la vie**
*Qu'est-ce qu'il y a après **la mort** ? Mystère !*	*Les gens âgés pensent à la mort, les jeunes à **la vie**.*
le passé	**le présent**
*J'aime les Trois Mousquetaires, j'aime les histoires du **passé**.*	*Le présent, maintenant, aujourd'hui, ça, c'est important pour elle.*
le passé	**l'avenir** (m.)
*Hier, avant-hier, la semaine dernière, l'année dernière, 1990, 1900, c'est le **passé**.*	*Demain, après-demain, la semaine prochaine, l'année prochaine, 2100, 3000… c'est l'**avenir**.*

ATTENTION !

– « **épais** » est le contraire de « **mince** » (pour les choses)
*Le mur est **épais**, la feuille de papier est **mince**.*

– « **épais** » est aussi le contraire de « **léger** ».
*En hiver nous portons des vêtements **épais**, en été nous portons des vêtements **légers**.*

– « **fort** » est le contraire de « **faible** »
*Ce boxeur est très **fort**, c'est l'homme le plus **fort** du monde ; moi, je tombe quand quelqu'un me touche, je suis **faible**.*

– « **fort** » est aussi le contraire de « **léger** »
*Je bois du thé **léger**, elle boit du thé bien **fort**.*

– « **léger** » est le contraire de « **lourd** »
*Il y a beaucoup de choses dans ce sac, ce sac est **lourd**, il n'y a rien dans ce sac, ce sac est **léger**.*

– « **léger** » est aussi le contraire de « **fort** »
*Elle aime le café **léger**, très clair, j'aime le café bien **fort**, le café bien noir.*

– « **léger** » est aussi le contraire de « **épais, chaud** »
*En été, nous portons des vêtements **légers**, en hiver, nous portons des vêtements **épais**, bien **chauds**.*

– « **vieux** » est le contraire de « **jeune** » (seulement pour les personnes)
*Mon grand-père est **vieux**, il a 90 ans ; mon neveu a 15 ans, il est très **jeune**.*

– « **vieux** » est aussi le contraire de « **neuf, neuve** » (seulement pour les choses)
*Pour marcher dans la campagne, je porte de **vieilles** chaussures.*
(Attention à la place de l'adjectif, **avant** le nom.)

*Je vais au mariage de mon amie, je porte mes chaussures **neuves**.*
(Attention à la place de l'adjectif, **après** le nom.)

On apprend par cœur !

Dans une vie...

Dans une vie
*Il y a les **grands** et les **petits***
*Les **adultes** et les **enfants***
*Il y a **le passé** et le **présent***

Dans le monde
Sur la Terre ronde,
*Il y a des voitures **lentes** et des avions **rapides**,*
*Des tours **fragiles**, des bâtiments **solides**,*
*Des mains **pleines**, des mains **vides**.*

Dans l'univers
*Il y a des jours **sombres** et des jours **clairs**,*
*Des ciels **lourds**, des nuits **légères**.*
*Il y a l'**ombre** et la **lumière**.*

1. QUAND LES MOTS S'OPPOSENT • 1. LES ANTONYMES : ADJECTIFS ET NOMS

2 • Les antonymes : adjectifs et noms (suite)

■ Les qualités et les défauts.

(voir les suffixes p. 55 à 60 et les synonymes p. 126 à 128)

Histoire d'hommes et de femmes

1 *Je suis assise à la terrasse d'un café et je regarde les gens qui passent : des hommes et des femmes, des filles et des garçons, des enfants et des adultes. Ils sont tous **différents** les uns des autres. Aucune personne n'est pareille à l'autre, ne ressemble* à l'autre.*

5 *Voilà un homme très **gros** ; une femme très grosse est à son bras. Derrière eux, une **belle** jeune femme avance en parlant à un homme très laid ; il a un long nez et une **petite** bouche sans dents ; mais il a l'air **gentil**, bon. Un jeune homme passe, la tête baissée, il porte des vêtements **bon marché**, mais **propres**. Il est **maigre** et **grand** ; il est sûre-*
10 *ment **pauvre**. Tiens ! Celui-là n'est pas pauvre. Il descend d'une voiture de sport ; il porte un costume élégant et très cher. Il est riche, mais il n'est pas **généreux**. Il ne donne rien à un musicien qui demande de l'argent, un chapeau sale posé devant lui.*

Dans le café, derrière moi, quelqu'un dit : « Quel égoïste ! ». Autour
15 *de moi*, les gens parlent, discutent. Il y a beaucoup de **bavards**. J'entends des paroles **intelligentes** ou stupides, des histoires **intéressantes** ou **ennuyeuses**. Il y a aussi des gens silencieux ; ils ne parlent à personne, ils lisent un journal, ou regardent comme moi les gens qui passent.*

20 *À une table, à côté, il y a un couple. Elle, dit : « Tu es méchant, tu me fais du mal* et en plus tu es un **menteur**, un **hypocrite**, tu dis des mensonges, tu ne dis pas la vérité. » Lui, répond : « Non, je ne mens pas, je suis sincère, crois-moi, ma chérie ! ».*

Je cherche une autre table. Et je continue à regarder tous ces gens,
25 *ces hommes, ces femmes, différents mais qui forment un seul genre, le genre humain.*

---

l. 4 : ressembler = être pareil à.

l. 14 : Autour de moi, les gens parlent... = il y a des gens devant moi, derrière moi, à gauche, à droite et ils parlent...

l. 21 : Tu me fais du mal = faire souffrir psychologiquement, moralement, faire du tort. *Il m'a menti, il m'a fait du mal.*
Faire mal à qqn = faire souffrir physiquement. *Il m'a donné un coup, il m'a fait mal.*

On récapitule

On oppose des qualités et des défauts.

■ Les adjectifs

beau(x), bel + voyelle, belle(s) *Elle a un visage parfait, elle n'a aucun défaut,* *elle est très **belle**.*	**laid(e)(s)** *Le héros de Victor Hugo* *Quasimodo est très **laid**.*
bon marché (invariable) *Pendant les soldes, les gens achètent* *des vêtements **bon marché**.*	**cher(s), chère(s)** *Les vêtements des grands couturiers* *sont très **chers**.*
différent(e)(s) *Ces deux frères sont très **différents** ;* *l'un est blond, l'autre est brun, l'un est petit,* *l'autre est grand…*	**pareil(le)(s)** *Ces deux pantalons sont **pareils** ;* *ils ont la même couleur, la même forme…*
égoïste(s) (adjectif et nom) *Il ne pense qu'à lui, à sa personne ;* *il est **égoïste**.*	**généreux(-euse (s))** *Il ne pense jamais à lui. Les autres passent* *avant lui, il est **généreux**.*
gros, grosse(s) *Il fait un régime ; il est trop **gros**,* *il pèse 100 kg pour 1,60 m.*	**maigre(s)** *Elle mange beaucoup mais elle est **maigre**.* *Quelle chance !*
intelligent(e)(s) *Elle comprend vite, elle est **intelligente**.*	**stupide(s), bête(s)** *J'explique pendant des heures* *et il ne comprend rien, il est **stupide**, **bête**.*
intéressant(e)(s) *Tout le monde écoute. Le conférencier* *est très **intéressant**.*	**ennuyeux (-euse (s))** *Des gens bâillent, d'autres dorment ;* *le conférencier est très **ennuyeux**.*
méchant(e)(s) (adjectif et nom) *N'aie pas peur, ce chien ne mord pas,* *il n'est pas **méchant**.*	**gentil(s), gentille(s)** **bon(s), bonne(s)** *Il est très **gentil**, il a **bon** cœur, il s'intéresse* *aux autres, il téléphone, il écrit.*
pauvre(s) (adjectif et nom) *Il ne travaille pas, il n'a pas d'argent,* *il est **pauvre**.*	**riche(s)** (adjectif et nom) *Il a beaucoup d'argent, il est **riche**.*
petit(e)(s) *Cet homme est **petit**, il mesure 1,55 m.*	**grand(e)(s)** *Celui-là est **grand**. Il mesure 1,95 m !*
silencieux, -euse(s) *Il ne parle pas beaucoup,* *c'est un homme **silencieux**.*	**bavard(e)(s)** (adjectif et nom) *Elle parle tout le temps, elle a toujours* *quelque chose à dire, elle est **bavarde**.*
sincère(s) *Il dit toujours ce qu'il pense, il est **sincère**.*	**menteur(s), menteuse(s)** (adjectifs et noms) *Il ne dit jamais ce qu'il pense, il ne dit pas* *la vérité, il est hypocrite, **menteur**.*

la beauté *Dans les musées, les visiteurs admirent* ***la beauté*** *des tableaux.*	**la laideur** *Il n'y a plus de* ***laideur*** *; la chirurgie esthétique corrige tous les défauts.*
la différence *Il n'y a aucune* ***différence*** *entre ces deux stylos, ils sont pareils.*	**la ressemblance** *Il n'y a aucune* ***ressemblance*** *entre ces deux sœurs. Elles sont différentes.*
l'égoïsme (m.) *Je pense toujours à moi et pas souvent aux autres. Ça, c'est de l'* ***égoïsme****.*	**la générosité** *Qui a de* ***la générosité*** *? Les personnes qui donnent aux pauvres.*
l'intelligence (f.) *Il trouve une solution à tous les problèmes, il montre ainsi son* ***intelligence****.*	**la stupidité, la bêtise** *Partir en bateau quand il y a la tempête, c'est de* ***la bêtise*** *!*
la méchanceté *Quelle* ***méchanceté*** *! Il frappe souvent son chien.*	**la gentillesse, la bonté** *Il faut apprendre aux enfants à ne pas frapper un animal. Il faut leur enseigner la* ***gentillesse****.*
la pauvreté *Les gouvernements essaient de trouver une solution au problème de la* ***pauvreté****.*	**la richesse** *On dit que la* ***richesse*** *ne rend pas toujours heureux, mais quand même…*
le silence *Dans la salle d'examen, le* ***silence*** *était complet. Il n'y avait pas un bruit. Les étudiants travaillaient.*	**le bavardage** *Elles parlent, elles parlent. Je déteste leur* ***bavardage****.*
la sincérité	**le mensonge** *Je n'aime ni l'* ***hypocrisie*** *ni le* ***mensonge****.*

On apprend par cœur !

Il faut de tout pour faire un monde !

Le monde est **grand**, le monde est **beau**.

Voilà les **maigres** et les *gros*,

Les **menteurs**, qui ne disent pas la vérité,

Les **bavards**, toujours agités,

Les hommes **généreux** qui donnent tout,

Les *silencieux* qui ne disent rien du tout,

Les **méchants**, qui font du mal,

les gens **intelligents**, qui disent des choses géniales,

Les *petits*, les bouts de chou*,

Et les hommes *gentils*, si doux.

Le monde est **grand**,

Les gens sont **intéressants**,

Les gens sont **différents**,

Et personne n'est *pareil*

Sous le soleil !

_____

*bout de chou = petit enfant.

3 • Les antonymes : adjectifs

■ Les qualités et les défauts qui s'expriment par des préfixes négatifs.

(Voir les préfixes p. 16 à 23)

Différences

1 *Pierre et Jean sont frères, mais ils sont très différents l'un de l'autre. Leur mère dit souvent : « Pierre et Jean ? C'est le jour et la nuit ! »*

Quand ils étaient enfants, ils étaient déjà différents. Pierre était **obéissant** *et* **poli**, *il avait de bonnes manières. À l'école, il était* **atten-**
5 **tif**, *il écoutait le professeur ; Jean, lui, était* **désobéissant** *et* **impoli**. *Il ne répondait pas quand on lui parlait, il posait ses pieds sur la table, il ne disait jamais « bonjour ». À l'école, il était* **inattentif**, *il pensait à autre chose.*

Aujourd'hui, ça continue. Pierre est très **ordonné** *; chez lui, chaque*
10 *chose est à sa place, sa chambre est en* **ordre**. *Et sa vie est* **facile**. *Jean est* **désordonné**. *Il y a des CD sur son lit ; il y a quatre ou cinq pantalons sur sa chaise, ses pulls sont par terre. Sa chambre est toujours en* **désordre**.

Pierre est **cultivé**, *il aime lire, il aime apprendre et il est* **patient**, *il*
15 *prend le temps de comprendre et de donner des explications ; Jean est* **inculte**, *il ne sait rien et il est* **impatient**, *il n'aime pas attendre.*

Pierre est **tolérant**, *il accepte les autres comme ils sont ; il est* **incapable** *de faire de la peine à quelqu'un, incapable d'être méchant. Jean, lui, est* **intolérant**. *Il n'aime pas les gens qui ne pensent pas comme lui*
20 *et il est* **capable** *de faire de la peine, capable de dire une méchanceté...*

Pierre est **prudent**, *il n'aime pas le danger; Jean est* **imprudent**, *il cherche les situations* **difficiles**.

Pierre est **honnête**, *il ne ment pas, il ne vole pas ; Jean est parfois* **malhonnête**

25 *Pierre est toujours* **content**, *il est gai, souriant, amusant, il fait rire, Jean toujours* **mécontent** *et ennuyeux.*

L'un est marié, l'autre est encore célibataire. Lequel ?

On récapitule

On oppose des qualités et des défauts qui s'expriment par des préfixes négatifs.

■ Les adjectifs

attentif(s), attentive(s) *Il est toujours très attentif.* *Il regarde, il écoute son professeur.*	**inattentif(s), inattentive(s)** *Votre fille est inattentive en classe.* *Elle rêve, elle regarde le plafond,* *elle n'écoute pas le professeur.*
capable(s) *Il est capable de jouer du piano, du violon,* *de la guitare…*	**incapable(s)** *Elle est incapable de lire une note* *de musique.*
content(e)(s) *Elle a une bonne note à son test,* *elle est contente.*	**mécontent(e)(s)** *Il a une mauvaise note à son test,* *il est mécontent.*
cultivé(e)(s) *Elle lit beaucoup, elle est très cultivée.*	**inculte(s)** *Elle ne lit pas, elle ne sait rien,* *elle est inculte.*
facile(s) *2 + 2 ? Cette addition est très facile.*	**difficile(s)** *Quelques étudiants pensent que le français* *est une langue difficile.*
honnête(s) *– Votre portefeuille est par terre.* *– Merci, vous êtes honnête.*	**malhonnête(s)** *Il prend le portefeuille et le garde pour lui.* *Il est malhonnête.*
obéissant(e)(s) *C'est un enfant obéissant ; quand son père* *lui dit : « Va au lit », il va au lit…*	**désobéissant(e)(s)** *Ce chien est désobéissant. Il ne vient pas* *quand on l'appelle.*
ordonné(e)(s) *Elle est ordonnée. Sa chambre est toujours* *bien rangée.*	**désordonné(e)(s)** *Il est désordonné, sa chambre est toujours* *en désordre.*
patient(e)(s) *Il est très patient, il est capable de répéter* *vingt fois quelque chose.*	**impatient(e)(s)** *Il est très impatient.* *Il n'aime pas répéter.*
poli(e)(s) *Sois poli, s'il te plaît, regarde-moi et réponds* *quand je te parle !*	**impoli(e)(s)** *Il ne me regarde pas quand je lui parle,* *il est impoli.*
prudent(e)(s) *Il est prudent, il ne fait pas de ski hors piste.*	**imprudent(e)(s)** *En montagne, il est imprudent.* *Il fait du ski hors piste.*
tolérant(e)(s) *Les gens tolérants acceptent que les autres* *ne pensent pas comme eux.*	**intolérant(e)(s)** *Les gens intolérants n'ont pas beaucoup* *d'amis.*

l'attention (f.) *Tu feras **attention** quand tu traverseras la rue. Tu regarderas à droite et à gauche.*	**l'inattention** (f.) *Il n'est pas bête, mais il fait des fautes d'**inattention**.*
l'honnêteté (f.) *Il faut enseigner l'**honnêteté** aux enfants.*	**la malhonnêteté** *Quelle **malhonnêteté** ! Il vole de l'argent.*
l'obéissance (f.) *Dans une armée, on demande l'**obéissance** aux soldats.*	**la désobéissance** *Dans une armée, la **désobéissance** est punie.*
l'ordre (m.) *Sa chambre est en **ordre**. Chaque chose est à sa place.*	**le désordre** *Sa chambre est en **désordre**. Rien n'est à sa place.*
la patience *La **patience** est la qualité des professeurs.*	**l'impatience** (f.) *Quelle **impatience**! Attends quelques secondes !*
la politesse *Les gens âgés disent : « Il n'y a plus de **politesse** aujourd'hui. »*	**l'impolitesse** (f.) *Quelle **impolitesse** ! Il pousse la vieille dame pour prendre sa place.*
la prudence *Par **prudence**, elle ne voyage jamais seule. Elle a peur.*	**l'imprudence** *Il ne connaît pas bien ce bateau, et il est parti tout seul en mer. C'est de l'**imprudence**.*
la tolérance *Quand on a de la **tolérance**, on est sociable.*	**l'intolérance** (f.) *Quelle **intolérance** ! Mais je suis libre de penser comme je veux !*

On apprend par cœur !

La vie à l'impératif

*Faites **attention**, dit le maître :*
Je suis, tu es, il est, c'est le verbe « être » !
*Et il ajoute : « Soyez **attentifs**,*
C'est le présent de l'indicatif ! »
*On nous répète : « Dites bonjour, pardon, soyez **polis**. »*
*Mais le monde est plein de gens **impolis**,*
Qui ne connaissent pas le mot « merci ».
*On nous apprend à avoir de l'**ordre***
*Mais vive le **désordre** !*
*On nous dit : « Soyez prudents et **patients**, tout arrive. »*
*Mais la jeunesse est **imprudente**, **impatiente** et vive !*
*On nous encourage : « Lisez, lisez pour être **cultivés** ! »*
Mais où sont les livres ? Voilà la télé !

4 • Les antonymes : prépositions, adverbes

■ Les oppositions.

Une journée presque ordinaire

1 Elle roule sur l'autoroute. **Devant** elle, la route, *derrière* elle, la route.
C'est un peu ennuyeux. Elle arrivera chez elle un peu **avant** huit heures. Elle prendra une douche et *après* elle dînera. Seule. Elle travaille
dans une galerie d'art. Et elle habite en banlieue. C'est assez **loin de**
5 Paris, *près de* Chartres. Elle fait **toujours** l'aller-retour en voiture. Elle
ne prend *jamais* le train. Elle est tranquille dans sa voiture. Elle
pense à sa journée. Elle écoute de la musique. **Dehors**, il pleut ou il
fait beau, les arbres sont en fleurs. Il fait chaud ou il y a de la neige.
Dedans, elle a le chauffage ou la climatisation. Elle regarde **rarement**
10 le paysage, elle le connaît bien.

Hier, elle a reçu un fax des États-Unis. *Demain*, un acheteur important arrive de Chicago. Il achètera peut-être deux ou trois tableaux.
La semaine **prochaine** elle ira en Allemagne, à Cassel, et **dans** deux
mois elle sera à Berlin. Elle va *souvent* en Allemagne. Elle rencontre
15 des peintres, des acheteurs, des directeurs de galeries d'art.

Elle est très heureuse. Elle a un métier qu'elle aime. C'est vrai, elle a
peu de temps pour faire autre chose, c'est vrai, elle vit seule mais elle
a des amis. Elle est libre et elle voyage, elle connaît *beaucoup de* gens
dans le monde.

20 Elle a commencé à travailler dans cette galerie il y a quatre ans.
L'année *dernière*, le directeur a ouvert une autre galerie et maintenant c'est elle qui dirige la première.

Il est sept heures et demie, il n'y a pas beaucoup de circulation sur
l'autoroute, elle arrivera à l'heure des informations à la télé. Elle
25 dînera, elle lira ou elle regardera un film et elle se couchera. Fin
d'une journée presque ordinaire.

Avant 8 heures		Après 8 heures	
7 h		8 h	9 h

On récapitule

■ Les expressions de temps qui s'opposent

avant (adverbe, préposition) *Avant, c'était bien, disent les gens âgés.* *Elle écoute les informations **avant** le dîner.*	**après** (adverbe, préposition) *Elle dîne et **après**, elle fait une promenade.* *Il y aura un cocktail **après** le mariage.*
dernier(s), dernière(s) *J'ai rencontré un ami la semaine **dernière**.*	**prochain(e)(s)** *Nous sommes en mai. Le mois **prochain**,* *en juin, je pars pour le Japon.*
hier *Nous sommes mardi, il pleut ;* ***hier**, lundi, il a plu…*	**demain** *… mais **demain**, mercredi, il fera beau.*
il y a + expressions de temps *Nous sommes en 2006. J'ai rencontré* *Jean en 1996. Je l'ai rencontré **il y a** dix ans.*	**dans** + expression de temps *Je partirai le mois prochain, en avril,* *ou **dans** trois mois, en juin.*
souvent *Elle va **souvent** au cinéma,* *deux ou trois fois par semaine.*	**rarement** *Elle va **rarement** au cinéma :* *une ou deux fois par an.*
toujours *Elle va **toujours** à son travail en voiture.* *Chaque jour, elle fait l'aller-retour en voiture.*	**jamais** *Elle ne va **jamais** à son travail en métro.* *Il n'y a pas de métro dans sa petite ville.*

■ Les expressions de lieu et de quantité qui s'opposent

dehors *Il fait chaud dans l'appartement,* *mais **dehors**, il fait très froid.* *Il va peut-être neiger.*	**dedans** *Dehors, il fait très froid,* *mais **dedans** on a bien chaud.*
devant *Je suis sur la plage et **devant** moi, il y a la mer.*	**derrière** *Qu'est-ce qu'il y a **derrière** cette montagne ?*
près de *La Belgique est **près de** la France.*	**loin de** *Le Japon est **loin de** la France.*
beaucoup de *À six heures du soir, le métro est plein ; il y a* ***beaucoup de** monde dans le métro.*	**peu de** *À minuit, il y a très **peu de** passants* *dans cette rue. Elle est vide et parfois* *j'ai peur quand je suis dehors le soir.*

On apprend par cœur !

Devinette

Devant elle, il y a un jardin
Et *derrière*, il y a un fleuve.
Elle est **à côté d'**un bassin.
En 1900, elle était neuve.

En haut, il y a une antenne très fine,
En bas, elle a quatre pieds épais.
Pour les Parisiens, c'est une copine.
Elle est **près d'**un palais.

Hier, **l'année dernière**, elle était là,
Il y a dix ans, elle était là.
Demain, l'année prochaine, elle sera là,
Dans dix ans, dans cent ans, elle sera là.

Beaucoup de gens
Passent du temps **dedans** !
Et *dehors*, ils font le tour,
Le tour de quoi ? le tour de la tour !
De quelle tour ? Le tour de la tour Eiffel,
Oui, oui, c'est bien elle !

5 • Les antonymes : verbes

■ Quand les actions s'opposent.

Un matin, pas à pas

1   *Six heures du matin. **Je me lève***. Et tout de suite, **j'allume** mon ordina-*
    *teur. Je **reçois** parfois des méls la nuit. **J'envoie** un mot à une amie puis*
    *j'**éteins** l'ordinateur. Ma journée **commence**. Elle **finira** à 18 heures ce*
    *soir. Il est huit heures moins le quart. Je suis prête. Je **pars** toujours à*
5   *la même heure. J'**ouvre** la porte et je **sors de** chez moi. Je **ferme** la*
    *porte à clé. L'ascenseur est là, mais je **descends** à pied. Ce soir, je **mon-***
    terai aussi à pied. C'est un bon exercice.

    *J'**arrive** dans la rue. Je ne **prends** pas le métro. À huit heures du*
    *matin, tout le monde est **debout** dans le métro. Personne n'est **assis**.*
10 *Je marche. Je passe devant des magasins où on **vend** de jolies choses.*
    *J'**aime** les jolies choses. Il est huit heures et quart et les magasins*
    *sont encore fermés. Je n'**entrerai** pas dans ces magasins, je n'**achète-***
    *rai rien, je ne **dépenserai** pas mon argent et j'**économiserai** au moins*
    *100 euros. Devant moi, un enfant **pleure**. Personne ne sait pourquoi.*
15 *La mère **cherche** quelque chose dans son sac. Elle **trouve** enfin un*
    *mouchoir et elle essuie les larmes de son fils. Tout à coup, l'enfant **rit**.*
    *Personne ne sait pourquoi. Il est huit heures trente. Des gens **vont** et*
    ***viennent**.*

    Tiens! Une goutte de pluie. Je n'ai pas de parapluie. Un jeune homme
20 ***s'approche de** moi : « Vous voulez mon parapluie? » Est-ce que je vais*
    ***accepter** ou **refuser**? Je ne sais pas. Il **repose** la même question :*
    *« Alors, vous voulez mon parapluie, oui ou non? Je vous le **prête** et vous*
    *me le **rendrez** plus tard! » Je **réponds** : « Non, merci. » Le jeune homme*
    ***s'éloigne** sous son parapluie et je reste sous la pluie. Tant pis pour moi!*
25 *Quand je **rentrerai** chez moi ce soir, je sais que je me **coucherai*** avec*
    *un gros rhume. Et je **déteste** ça! Comment je vais dormir, **bien** ou **mal**?*

    *Comment sera la nuit, **bonne** ou **mauvaise**?*

Il pleure   Il rit

l. 1 et 26 : Je me lève, je me coucherai : verbes pronominaux au présent et au futur. Les
deux pronoms (je, me) sont à la même personne : **je me** lave (= je lave moi-
même), **tu te** couches…

On récapitule

On oppose des verbes qui sont le contraire l'un de l'autre.

accepter *Mlle Martin, **acceptez-vous** de prendre pour mari M. Lecoq ?*	**refuser** *Elle **refuse** le gâteau que je lui offre. Elle est au régime.*
aimer *J'**aime** la lecture, le cinéma, le théâtre, les pommes, Mario…*	**détester** *Beurk ! Je **déteste** la viande, je suis végétarienne. Je **déteste** la guerre.*
allumer *Elle **allume** la télévision. Elle regarde la télé.*	**éteindre** *Le père **éteint** la télévision. Il va dormir.*
s'approcher de *Je m'**approche** de la vitrine pour regarder une robe.*	**s'éloigner de** *C'est l'heure du départ. Le train quitte le quai et **s'éloigne**.*
chercher *Où sont mes clés ? Je **cherche** toujours mes clés.*	**trouver** *J'ai **trouvé** un appartement dans un quartier très calme.*
commencer *Le film **commence** à 9 heures.*	**finir** *Le film **finit** à 11 h 30.*
se coucher *Je me **couche** après les informations de 23 heures.*	**se lever** *Je me **lève** tous les matins à 6 heures.*
dépenser *Pendant les soldes, elle **dépense** beaucoup d'argent.*	**économiser** *L'enfant **économise** de l'argent. Il met 2 euros dans une boîte chaque semaine.*
descendre *Je prends l'ascenseur pour **descendre**.*	**monter** *Je **monte** à pied, l'ascenseur est en panne.*
ouvrir *J'**ouvre** la fenêtre. Il fait froid…*	**fermer** *…je la **ferme** tout de suite.*
partir *Il **part** pour les États-Unis cet été.*	**arriver** *L'avion **arrivera** à 14 heures.*
pleurer *L'enfant tombe, il a mal, il **pleure**.*	**rire** *Le film est très amusant. Tout le monde **rit**.*
sortir *Je **sors** de chez moi à 8 heures.*	**(r)entrer** *J'**entre** dans le magasin. Je **rentre** chez moi à 18 h 30.*

On oppose des actions réciproques (on a besoin de deux personnes pour faire ces actions contraires).

poser une question *L'élève **pose des questions**…*	**répondre** *…le professeur **répond**.*
prêter *La bibliothécaire **prête** des livres aux lecteurs.*	**rendre** *Les lecteurs les **rendent** trois semaines plus tard.*

1. QUAND LES MOTS S'OPPOSENT • 5. LES ANTONYMES : VERBES

recevoir	envoyer
Chaque jour, je reçois des méls...	*... et j'en envoie.*
vendre	**acheter**
Il a un magasin. Il vend des chaussures.	*J'achète toujours mon pain chez le même boulanger.*

On oppose des adjectifs ou adverbes qui marquent le contraire.

assis, assise(s) (adjectif)	**debout** (adverbe, invariable)
Elle est assise dans un fauteuil confortable.	*Derrière elle, son ami est debout.*
bon(s), bonne(s)	**mauvais, mauvaise(s)**
Bonnes vacances! Bonne année!	*Le malade a passé une très mauvaise nuit.*
bien (adverbe)	**mal** (adverbe)
Bravo! Vous parlez bien le russe!	*Elle chante mal, elle chante faux!*

On apprend par cœur !

Et tournent les heures !

Le jour se lève !
Au revoir les rêves !
Le jour commence
C'est une présence
C'est une fenêtre qu'on ouvre
C'est quelqu'un qu'on cherche et qu'on trouve.
Et le soleil monte dans le ciel !
Il envoie ses rayons sur la terre
Et la terre les reçoit, comme du miel.
Parfois, il s'éloigne, il est loin
Parfois, il s'approche, il est là dans un coin.
Et tournent les heures !
Peu à peu il descend et ferme les rideaux, le brillant acteur !
Il se couche
Chut, un doigt sur la bouche !
C'est une lampe qu'on allume le matin
Qu'on éteint le soir et qui attend le lendemain.
Voilà, c'est fini.
Voilà, c'est la nuit.

6 • Les contrastes

■ Le Nord et le Sud.

La France, pays de contrastes

1 *La France est un pays de contrastes !*

*La France du **Nord** est différente de la France du Sud, la France de l'**Ouest** de la France de l'**Est**.*

*Au nord, c'est le pays **plat**, au sud c'est une région accidentée. Mon-*
5 *tagnes hautes aux sommets **pointus**.*

À l'ouest, on a un pays de mer et de vent, à l'est, ce sont de vieilles mon-tagnes, arrondies et douces.

*Au nord, le ciel est souvent **gris**, la **pluie** fine et **continue**, le sol mouillé, humide. Au nord, c'est **le froid** de l'hiver et le temps variable*
10 *du printemps, de l'été et de l'automne. Le sud est le pays du ciel bleu, du soleil, de la **chaleur**, de la terre sèche, des orages violents et **brefs**.*

*Maisons **basses** en pierre grise à l'ouest, maisons **hautes** en pierre et en bois à l'est.*

*Au nord, c'est la cuisine **au beurre**, au sud, c'est la cuisine à l'huile.*

15 *Et puis, il y a la France **du blé** et la France de l'olivier, la France du **vin blanc**, la France du vin rouge.*

Mais il y a aussi une France du milieu, de l'entre-deux, celle du vin rosé, vin léger, vin du centre, la France des collines, ni plaines ni mon-tagnes. La France du climat tempéré, tiède, ni chaud ni froid.

20 *Et enfin il y a les Français. Les Français du Nord : on dit qu'ils sont **cal-mes**, **froids**, **silencieux**. Les Français du Sud : on dit qu'ils sont agités, chaleureux et bavards.*

*Voilà une France de carte postale, une France à la fois **vraie** et fausse !*

une girouette

On récapitule

Les adjectifs et les noms qui marquent une opposition réelle.

■ Les adjectifs

accidenté(é)(s)	plat(e)(s)
La région est accidentée; *ça monte, ça descend.*	*En France, il y a une région, la Beauce,* *où pousse le blé ; elle est très plate* *et on voit très loin.*
agité(e)(s)	calme(s)
L'océan est très agité en automne ; *les vagues sont hautes ; ça bouge tout le temps.*	*La mer Méditerranée est une mer calme.* *Il n'y a presque pas de vagues.*
arrondi(e)(s)	pointu(e)(s)
Les Vosges et le Jura sont des montagnes *françaises. Elles sont très vieilles.* *Leurs sommets sont arrondis comme un crâne.*	*Dans les Alpes et les Pyrénées,* *il y a des sommets très hauts et très pointus,* *comme le haut de la tour Eiffel.*
bas, basse(s)	haut(e)(s)
La maison n'a pas d'étages. *C'est une maison basse.*	*Cette maison a dix étages, elle est haute.*
bref(s), brève(s)	continu(e)(s)
Le professeur m'a dit : « Votre exposé *ne doit pas être trop long, il ne doit pas durer* *longtemps : soyez bref. »*	*Cette pluie ne s'arrête pas ;* *c'est une pluie continue.*
froid(e)(s)	chaleureuse(s)
Il est intelligent mais très froid ; *il n'a pas beaucoup d'amis.*	*Mon amie est une femme simple, mais très* *chaleureuse. Quand vous allez chez elle,* *elle est toujours contente de vous voir.*
froid(e)	chaud(e)
Le temps est froid, il fait – 30°. *L'eau du réfrigérateur est froide.*	*Le temps est chaud, il fait + 40°.* *La plaque électrique allumée est chaude.*
mouillé(e)(s), humide(s)	sec(s), sèche(s)
Il pleut et je n'ai pas de parapluie. *Je suis mouillée des pieds à la tête.* *Je repasse le linge quand il est encore* *humide, un peu mouillé.*	*Le soleil brille depuis plusieurs mois.* *Il ne pleut pas. Le temps est sec* *et la terre est sèche.* *Mes cheveux sont encore mouillés, ils ne* *sont pas encore secs.*
silencieux, silencieuse(s)	bavard(e)(s)
C'est difficile de faire la conversation *avec une personne silencieuse,* *qui ne parle pas.*	*Quel bavard ! Personne ne peut l'arrêter.* *Quand il commence à parler,* *il parle, il parle…*
vrai(e)(s)	faux, fausse(s)
La Terre tourne autour du Soleil : c'est vrai.	*Le Soleil tourne autour de la Terre : c'est faux.*

ATTENTION !

On dit : « **froid** » et « **chaud** », pour les choses.

On dit : « **froid** » et « **chaleureux** », pour les personnes.

■ Les noms

la pluie	le soleil
Le bulletin météorologique annonce très souvent : nuages, vent et **pluie** *sur le nord…*	*…* **soleil** *dans le Midi.*
la chaleur	**le froid**
Quelle **chaleur** *! Il fait au moins 38° à l'ombre.*	*Quel* **froid** *! Il fait − 30°.*

■ Les adjectifs et les noms qui marquent une opposition culturelle, selon le contexte

le beurre	l'huile
En Normandie, en Picardie, dans le Nord, les gens font la cuisine avec du **beurre**.	*À Marseille et en Provence, on cuisine avec de l'* **huile** *d'olive.*
le blé	**l'olivier**
Le **blé** *pousse dans les plaines du nord de la France.*	*L'* **olivier** *qui donne l'huile d'olive pousse en Provence.*
gris, grise(s)	**bleu(e)(s)**
Le ciel est souvent **gris** *à Paris.*	*Le ciel est presque toujours* **bleu** *à Marseille.*
l'ouest	**l'est**
À l' **ouest**, *on a la Bretagne.*	*À l'* **est**, *on a l'Alsace et la Lorraine.*
le nord	**le sud**
Lille est une ville du **nord**. *Lille est proche de Bruxelles.*	*Marseille est au* **sud**. *Marseille est plus près de Tunis que de Paris.*

■ Les adjectifs et les noms du centre, du milieu

chaud(e)(s)	froid(e)(s)	tiède(s)
Je suis malade, j'ai de la fièvre, mon front est **chaud**. *J'ai 39,5°.*	*Dans le désert, les journées sont chaudes et les nuits très* **froides**.	*On mange la tarte Tatin* **tiède**, *ni chaude, ni froide.*
le vin blanc	**le vin rouge**	**le vin rosé**
Le jurançon est un vin **blanc**.	*Le mouton-rothschild est un vin* **rouge**.	*Le cabernet d'Anjou n'est ni blanc ni rouge, il est* **rosé**.
la pluie	**le soleil**	**un temps variable**
La **pluie** *tombera pendant toute la journée et la nuit suivante.*	*Mais* **le soleil** *est toujours là, dans le Sud.*	*Aujourd'hui, sur le nord du pays, on aura un* **temps variable**, *le soleil et la pluie vont jouer ensemble.*

On apprend par cœur !

Mon pays

C'est un pays de mer et de montagne,
De villes et de campagne.
*Un pays de **blé***
Et d'olivier,
*De gens **silencieux**,*
*De gens **chaleureux**.*
*De mer **agitée**,*
*De terre **accidentée**,*
*De sommets **pointus** ou **arrondis**,*
*De ciel **bleu** ou **gris**,*
De soleil et de pluie.
*Un pays de maisons **hautes** ou **basses**,*
Un pays de vent qui passe.
C'est un peu d'Italie et d'Espagne,
Mais c'est aussi le pays du champagne.
C'est un peu de Belgique et d'Angleterre,
Mais c'est aussi le pays de Voltaire.
C'est un pays de travail et de vacances,
Et c'est bien cela, c'est la France !

Il est **chaleureux.**

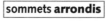

sommets **arrondis**

sommets **pointus**

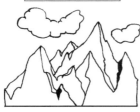

Ils sont **silencieux.**

SILENCE

2 DU PAREIL AU MÊME

1 • Les synonymes : des mots qui ont (presque) le même sens

> **Les équivalents de :** avoir, il y a.
>
> Dans le premier texte, le verbe « avoir », utilisé seul ou dans l'expression « il y a » au présent, apparaît plusieurs fois. Ce verbe, cette expression ne sont pas très précis. Vous trouverez dans le deuxième texte des équivalents à utiliser selon le contexte.

Il y a…, avoir…

1 *Ce matin, **il y a du soleil**. La journée est belle. Une vraie journée de printemps. Mais voilà les nuages. **Il y a de gros nuages** dans le ciel. **Il y a du vent**. Les passants **ont** des manteaux ou des imperméables. Quelques-uns **ont** un parapluie à la main. Et bien sûr, voilà la pluie ; il*
5 *pleut sur les toits, sur les arbres, sur le sol.*

*En montagne, **il y a** déjà **de la neige**. Ici, **il y aura** aussi peut-être **de la neige** aujourd'hui. C'est la fin de l'automne, le début de l'hiver. Nous entrons dans un café. Il y a une cheminée et **il y a un beau feu** dans la cheminée.*

Il y a…, avoir… d'une autre façon

1 *Ce matin, le soleil **brille**. La journée est belle. Une vraie journée de printemps. Mais voilà les nuages. De gros nuages **couvrent** le ciel. Le vent **souffle**. Les passants **portent** des manteaux ou des imperméables. Quelques-uns **tiennent** un*
5 *parapluie à la main. Et bien sûr, voilà la pluie ; il pleut sur les toits, sur les arbres, sur le sol. La neige **tombe** déjà en montagne, Ici, il **neigera** peut-être aussi aujourd'hui. C'est la fin de l'automne, le début de l'hiver. Nous entrons dans un café. Il y a une cheminée et un*
10 *beau feu **brûle** dans la cheminée.*

Elle tient un **parapluie**.

On récapitule

il y a	les équivalents
*Aujourd'hui, **il y a du soleil**.*	*Le soleil **brille**.*
***Il y a de la neige** en montagne, c'est l'hiver.*	*La neige **tombe**, il **neige** en montagne, c'est l'hiver.*
***Il y a du feu** dans la cheminée du salon. C'est très agréable.*	*Le feu **brûle** dans la cheminée du salon, c'est très agréable.*
***Il y a des nuages** dans le ciel.*	*Les nuages **couvrent** le ciel.*
*Elle **a** un pull bleu et une jupe noire.*	*Elle **porte** un pull bleu et une jupe noire.*
*La jeune mariée **avait** un bouquet de fleurs blanches à la main.*	*La jeune mariée **tenait** un bouquet de fleurs blanches à la main.*

On apprend par cœur !

*Le soleil **brille**,*
Ma fille !
***Tiens** ma main*
Et allons au jardin !
Sois sage !
Voilà les nuages,
*Ils **couvrent** le ciel.*
Où est le soleil ?
Enlève ton pull,
*Le feu **brûle** !*
*La neige **tombe**,*
Blanche comme une colombe.

Le soleil brille. **Il pleut.** **Le feu brûle.** **Il neige.**

2 • Des mots qui ont (presque) le même sens (suite)

Les équivalents du verbe « **faire** ».

Dans le texte ci-dessous, le verbe « faire » apparaît plusieurs fois. Il a un sens très général. Pour être plus précis et pour éviter les répétitions, vous trouverez dans le deuxième texte des équivalents à utiliser selon le contexte.

Faire

1 *Annie est une belle jeune fille. Elle est grande, elle **fait** presque **1,80 m**.*

*Elle **fait des études** de droit international dans une université fran-çaise. Elle habite seule mais elle a beaucoup d'amis et parfois, elle **fait la cuisine** pour ses amis. Elle **fait** de bons plats. Quand elle a le*
5 *temps, elle **fait une promenade** dans un jardin proche de chez elle. Ou bien, elle fait des courses dans des magasins. Elle fait très attention quand elle achète quelque chose. Elle regarde toujours le ticket de caisse : les caissières **font** parfois **des erreurs**.*

*Cet été, elle **fera un voyage**, elle **fera les États-Unis** et elle **fait des***
10 ***économies** pour ce voyage. Elle a acheté un appareil photo pour **faire des photos**. Et à son retour, elle ne **fera** pas de **séance** pour montrer ses photos à ses amis, ces séances qui ennuient tout le monde.*

Faire... d'une autre façon

1 *Annie est une belle jeune fille. Elle est grande, elle **mesure** presque 1,80 m.*

*Elle **étudie** le droit international dans une université française. Elle habite seule. Mais elle a beaucoup d'amis, et parfois, elle **cuisine** pour*
5 *ses amis. Elle **prépare** de bons plats. Quand elle a le temps, elle **se promène** dans un jardin proche de chez elle. Ou bien elle fait des courses dans des magasins. Elle fait très attention quand elle achète quelque chose. Elle regarde toujours le ticket de caisse : les caissières **se trompent** parfois.*

10 *Cette été, elle **voyagera**, elle **visitera** les États-Unis. Elle **économise** pour ce voyage. Elle a acheté un appareil photo pour **prendre** des photos. À son retour, elle n'**organisera** pas de séance pour montrer ses photos à ses amis, ces séances qui ennuient tout le monde.*

On récapitule

faire	les équivalents
faire 1,80 m *Tu es grande. Combien **tu fais**?* *Je fais, je crois, 1 mètre 78.*	**mesurer 1,80 m** *Tu es grande. Combien **tu mesures**!* *Je mesure, je crois, 1,78 m.*
faire des études *Il **fait des études** de littérature anglaise* *à Oxford.*	**étudier** *Il **étudie** la littérature anglaise à Oxford.*
faire la cuisine *Elle aime **faire la cuisine** pour sa famille* *et ses amis.*	**cuisiner** *Elle aime **cuisiner** pour sa famille* *et ses amis.*
faire des plats *Il **fait** de bons petits **plats** pour sa femme.*	**préparer** *Il **prépare** de bons petits plats* *pour sa femme.*
faire une promenade *Le vieux monsieur **fait une promenade*** *dans le jardin.*	**se promener** *Le vieux monsieur **se promène*** *dans le jardin.*
faire une erreur *Elle **fait** toujours **une erreur*** *quand elle fait des additions.*	**se tromper** *Elle **se trompe** toujours quand elle fait* *une addition.*
faire un voyage *Nous **ferons un voyage** cet été.* *Nous irons en Russie.*	**voyager** *Nous **voyagerons** cet été.* *Nous irons en Russie.*
faire des économies *Je n'achète plus rien. Je **fais des économies*** *pour faire un voyage cet été.*	**économiser** *Je n'achète plus rien.* *J'**économise** pour voyager cet été.*

faire des photos *Il a toujours un appareil photo sur lui.* *Il aime faire des photos.*	**prendre des photos** *Il a toujours un appareil photo sur lui.* *Il aime prendre des photos.*
faire une séance *Le lycée fait une séance de cinéma* *aujourd'hui.*	**organiser une séance** *Le lycée organise une séance de cinéma* *aujourd'hui.*
faire les États-Unis (fam.) *Il a fait l'Europe l'année dernière,* *cette année, il fera l'Afrique du Sud.*	**visiter les États-Unis** *L'année dernière il a visité l'Europe,* *cette année il visitera l'Afrique du Sud.*

On apprend par cœur !

Les jours de la semaine

Que fait-on le dimanche ?

On se promène sous les branches.

Et le lundi ?

On étudie !

Et le mardi ?

On cuisine pour le mari !

Que fait-on le mercredi ?

On prépare des gâteaux pour les petits !

Et le jeudi ?

On prend des photographies !

Et le vendredi ?

On fait des économies.

Que fait-on le samedi ?

On écrit de la poésie.

Que fait-on le dimanche ?

On se promène sous les branches.

3 • Des mots qui ont (presque) le même sens (suite)

Les équivalents du verbe « **mettre** ».

Dans le texte ci-dessous, le verbe « mettre » apparaît plusieurs fois. Il a un sens très général. Pour être plus précis et pour éviter les répétitions, vous trouverez dans le deuxième texte des équivalents à utiliser selon le contexte.

Mettre

1 *Elle est rentrée chez elle. Elle **a mis** son manteau au portemanteau. Elle s'est déshabillée et elle **a mis** un pyjama, puis elle **a mis** toutes ses affaires dans l'armoire. Tout à coup, elle s'est rappelée que c'était le dernier jour pour envoyer la déclaration d'impôts*!*

5 *Elle **a mis** les feuilles sur la table, elle a pris son stylo et elle **s'est mise** à écrire sa déclaration. Elle **l'a mise** dans une enveloppe. Elle s'est levée, **a remis ses vêtements** et elle est allée **mettre sa lettre à la poste**.*

Mettre… d'une autre façon

1 *Elle est rentrée chez elle. Elle **a accroché** son manteau au portemanteau, elle a enlevé ses vêtements et elle **a enfilé** un pyjama, puis elle **a rangé** toutes ses affaires dans l'armoire. Tout à coup, elle s'est rappelée que c'était le dernier jour pour envoyer la déclaration d'impôts!*

5 *Elle **a posé** les feuilles sur la table, elle a pris son stylo et elle **a commencé** à écrire sa déclaration. Elle **l'a glissée** dans une enveloppe. Elle s'est levée, **s'est rhabillée**, et elle est allée **poster** sa lettre.*

Elle enfile son pyjama.

Elle glisse la déclaration dans l'enveloppe.

l. 4 : déclaration d'impôts = papier sur lequel on inscrit la somme annuelle qu'on a gagnée.

On récapitule

mettre	les équivalents
mettre *Il a mis son chapeau au portemanteau.*	**accrocher** *Il a accroché son chapeau au portemanteau.*
mettre *Il a mis rapidement un pull-over.*	**enfiler** *Il a enfilé rapidement un pull-over.*
mettre *Le facteur a mis la lettre sous la porte.*	**glisser** *Le facteur a glissé la lettre sous la porte.*
mettre *Elle a mis ses vêtements et elle est sortie.*	**s'habiller** *Elle s'est habillée et elle est sortie.*
mettre *Elle a mis son livre sur la table de nuit*	**poser** *Elle a posé son livre sur la table de nuit.*
mettre *J'ai mis ma lettre à la poste.*	**poster** *J'ai posté ma lettre.*
mettre *Elle a mis ses sous-vêtements dans le tiroir.*	**ranger** *Elle a rangé ses sous-vêtements dans le tiroir.*
se mettre à *Il s'est mis à pleuvoir.*	**commencer à** *Il a commencé à pleuvoir.*

On apprend par cœur !

Elle accroche son manteau au portemanteau !
Et elle n'oublie pas les impôts !
*La fête est finie, elle **range** les cadeaux !*
Et pense aux impôts !
*Elle **enfile** son pyjama bordeaux.*
Et les impôts ?
*Elle **pose** les feuilles sur le bureau.*
Ah ! Les impôts !
*Elle se **rhabille**, prend son chapeau,*
*Et va **glisser** sous la porte du bureau des impôts*
Sa déclaration d'impôts !

4 • Des mots qui ont (presque) le même sens (suite)

■ Des adjectifs et leurs synonymes.

(voir les suffixes p. 49 à 51, 55 à 60 et les antonymes p. 102-104)

Regarde comme elle est belle !

1 Deux jeunes gens entrent dans un café, ils sont mouillés, il pleut dehors.

Marie – *Quel **mauvais** temps, il fait vraiment un temps **affreux**. J'ai froid.*

Marc – *Garçon, deux thés **bien chauds**, **brûlants**, s'il vous plaît ! Tu*
5 *veux aussi un gâteau ?*

Marie – *Mmm, oui, ils ont de **très bonnes** tartes ici, des tartes **délicieuses**.*

Marc – *Marie, regarde cette jeune fille. Elle est assise en face de nous, là-bas. Qu'elle est **belle** !*

Marie – *Oui, elle est assez **jolie**.*

10 Marc – *Mais non, elle est très belle ! Regarde-la ! Et quel sourire ! Elle a un sourire **charmant**, **adorable**.*

Marie – *Tu ne la connais pas. Elle est peut-être **agressive**, **violente**.*

Marc – *Non, je suis **sûr**, **certain** qu'elle est **calme** et **tranquille**, **aimable**, **gentille**.*

15 Marie – *Elle est peut-être **désagréable** et **antipathique**.*

Marc – *Non, non, elle doit être **agréable**, **sympathique** et **douce**, **tendre**.*

Marie – *Elle est peut-être **bête**, **stupide**.*

Marc – *Je ne crois pas. Elle lit un roman de Proust. Et puis, elle est **chic**, **élégante**. Mais regarde ses yeux. Ils sont **grands**, **immenses** !*

20 Marie – *Oui, oui, je la regarde. Je pense que c'est une **actrice**, une **comédienne**.*

Marc – *Peut-être, mais je suis sûr que c'est une bonne, une **très bonne**, une **excellente** actrice.*

Marie – *Tu sais les acteurs jouent aussi dans la vie. Et ils ne sont pas*
25 *toujours **francs** et **sincères**. Parfois, ils sont **menteurs**, **hypocrites**.*

Marc – *Mais non, pas toujours ! Tiens, mais où est-elle ? Elle est partie !*

126

On récapitule

Ces mots qui ont (presque) le même sens.

acteur, actrice (nom) *Louis Jouvet a été un grand **acteur** de théâtre.* *Greta Garbo était une très bonne **actrice**.*	**comédien, comédienne** (nom et adj.) *Il est **comédien**. Et elle ? Elle est **comédienne**.* *Ils jouent au théâtre, au cinéma.*
agressif, agressive *Il veut toujours se battre. Il est **agressif**.*	**violent(e)** *C'est un homme **violent**. Il crie, il frappe.*
aimable, agréable *Pourriez-vous me passer le sel ?* *Merci, vous êtes très **aimable**.*	**gentil, gentille** *Elle m'a envoyé un mot très **gentil*** *pour me féliciter à l'occasion de mon mariage.*
beau, belle *Elle n'est pas seulement jolie, elle est **belle**.* *Elle a un **beau** visage, et elle a un beau regard.* *Elle a quelque chose dans le cœur.*	**joli(e)** (cet adjectif s'utilise pour une femme ou pour un objet) *Quelle **jolie** robe ! Comme tu es **jolie**, Julie !*
bête *Ce problème est très facile ;* *tu ne le comprends pas ? Mais tu es **bête** !*	**stupide** *Pauvre chat ! Qui lui a mis ce chapeau ?* *Mais c'est **stupide** !*
calme *Cet enfant est très **calme**. Il ne pleure pas,* *il ne crie pas, il peut jouer seul.* *J'habite dans une rue **calme**. Pas de voitures,* *pas de bruit…*	**tranquille** *Cet enfant est très **tranquille**. Il ne pleure pas,* *il ne crie pas, il peut jouer seul.* *J'habite dans une rue **tranquille**.* *Pas de voitures, pas de bruit.*
agréable *Je l'aime beaucoup. Elle est toujours gaie,* *elle est très **agréable**.*	**sympathique** *Je l'aime beaucoup. Elle est toujours gaie,* *et très **sympathique**.*
chic (invariable) *Elle sort ce soir. Tu as vu sa robe ? Très **chic**,* *très élégante. C'est une robe de Dior.*	**élégant(e)** *Elle va à une soirée chez le président de* *la République. Elle est très **élégante**, très chic.*
désagréable *Personne ne l'aime. Elle est souvent* *de mauvaise humeur, elle est méchante,* ***désagréable**.*	**antipathique** *Elle est très **antipathique**. Elle n'est jamais* *contente, elle dit du mal des gens,* *elle est tout le temps désagréable.*
doux, douce *Elle est gentille, calme, **douce**.* *Elle aime tout le monde.*	**tendre** *Elle est gentille, calme, **tendre**.* *Elle aime tout le monde.*
franc, franche *Elle dit toujours la vérité,* *elle est très **franche**.*	**sincère** *Elle est **sincère** quand elle dit qu'elle t'aime.* *Tu peux la croire.*
menteur, menteuse *Méfie-toi, ne la crois pas,* *elle ne dit pas la vérité, c'est une **menteuse**.*	**hypocrite** *Ne l'écoute pas. Elle n'est pas sincère,* *c'est une **hypocrite**.*
sûr(e) *Je suis **sûr** qu'il va réussir.* *Il travaille très bien.*	**certain(e)** *C'est sûr et **certain**, il va réussir,* *il travaille très bien.*

ATTENTION !

Dans la colonne de droite, l'adjectif a une valeur superlative. On n'utilise pas l'adverbe « très » devant ces adjectifs.

beau, belle *Le temps est très **beau** aujourd'hui.* *Le ciel est bleu, le soleil brille,* *il ne fait ni chaud ni froid.*	**magnifique** *Le temps est **magnifique** aujourd'hui.* *Le ciel est bleu, le soleil brille,* *il ne fait ni chaud ni froid.*
bon *Ce gâteau est très **bon**.*	**délicieux, délicieuse** *Ce gâteau est **délicieux**.*
bon *C'est un très **bon** professeur.*	**excellent(e)** *C'est **un excellent** professeur.*
charmant(e) *Cet enfant est **charmant** !*	**adorable** *Il est **adorable** ! Je l'adore !*
chaud(e) *Mange ta soupe ; elle est bien **chaude**.*	**brûlant(e)** *Non, je ne peux pas la manger,* *elle est **brûlante**.*
grand(e) *Ce jardin est très **grand**. Je suis perdue.*	**immense** *Ce jardin est **immense**. Je suis perdue.*
mauvais(e) *Le temps est très **mauvais** ; il pleut, le vent* *souffle très fort, il casse les branches des arbres.*	**affreux, affreuse** *Le temps est **affreux** ; il pleut, le vent souffle* *très fort, il casse les branches des arbres.*

On apprend par cœur !

*Dehors, le temps est **mauvais**, affreux,*
*Dedans, le gâteau est **bon**, délicieux !*

*Cette ville est **belle**, magnifique,*
*Mais les habitants sont **désagréables**, antipathiques.*

*Le soleil est **chaud**, brûlant,*
*Et ces jeunes gens **agressifs** et violents.*

*Ce film est **bon**, excellent,*
*Et l'acteur **adorable** et charmant.*
*C'est **sûr** et certain*
*C'est un bon **acteur**, un bon comédien !*
*Et c'est aussi un ami **chic** et élégant,*
Sincère et franc !
Gentil et aimable,
Sympathique et agréable !

5 • Des mots qui ont (presque) le même sens (suite)

■ Des verbes et leurs synonymes.

Rencontre entre deux amis

1 – *Pierre! Pierre! Qu'est-ce que tu fais sur ta **bicyclette**? Tu **rentres** chez toi?*

– *Non, je pose mon **vélo** et j'**entre** quelques minutes dans cette **boutique**. Après, je vais au cinéma pour **voir** un film de Jean Renoir.*
5 *J'**aime** bien ce metteur en scène*.*

– *Moi, je l'**adore**, j'ai vu tous ses films. Qu'est-ce que tu vas voir?*

– *Un film qui s'appelle « **Le Fleuve** ». Et toi, où vas-tu?*

– *Moi je vais **rue** des Lombards, à un concert de jazz. Je vais **écouter** une chanteuse que j'aime beaucoup, Diana Krall. Tu la **connais**?*

10 – *Oui, je la connais. Je l'**ai entendue** l'année dernière, elle était géniale. J'écoute souvent des disques de jazz. J'ai un CD sur mon walkman. Tiens, écoute! C'est Bill Evans au piano et Jim Hall à la guitare. Oh! Est-ce que tu **sais** que Ray Charles est mort?*

– *Est-ce que Ray Charles était un chanteur de jazz?*

15 – *Je ne sais pas, mais je sais que c'était un bon musicien.*

– ***Regarde**, on est devant Virgin MegaStore. On entend toujours de la musique quand on passe devant ce **magasin**. De la musique pop, folk, rap... Parfois, il y a de bons morceaux, parfois on aimerait mieux être sourd. Mais je parle, je **parle** et je vais être en retard, et toi aussi.*
20 *Bon, salut, au revoir!*

– *Salut! Attends, est-ce que je **t'ai dit** que Marie et Marc allaient se marier? Ils vont quitter Paris et habiter à la campagne. Marc change de **métier**. Il devient cuisinier et Marie a une nouvelle **profession**, elle devient professeur des écoles.*

25 – *Non? C'est vrai? Eh bien, quelles nouvelles!*

– *Leur adresse est : Les Mimosas, **route** de la Reine à Saint-Sauveur.*

– *Où est-ce?*

– *En Ardèche. Leur maison est près d'une **rivière**, c'est charmant!*

---

l. 5 : un metteur en scène = la personne qui dirige, qui fait le film.

On récapitule

■ Ces mots se ressemblent mais il ne faut pas les confondre.

connaître + nom *Je connais Diana Krall.* *Je connais Venise. Je connais cette chanson.*	**savoir** + que, si, où, comment... *Tu sais comment s'appelle cette chanteuse ?* *Tu sais que Bill Evans est un grand pianiste ?* *Tu sais où ils vont habiter ?* *Tu sais si Diana Krall reviendra* *l'an prochain ?*
dire + que, quelque chose *Je lui ai dit « bonjour » !* *Il m'a dit qu'il était malade.* *Il m'a dit un petit mot gentil.*	**parler**, parler une langue, parler à quelqu'un, **parler de quelqu'un** ou de quelque chose *Elle est très bavarde, elle parle, elle parle...* *Je parle à un ami et nous parlons* *de musique et de cinéma.*
entendre (parce que j'ai des oreilles) *J'entends le vent qui souffle.* *J'entends les voitures qui passent dans la rue.* *J'ai entendu cette chanteuse l'année dernière.*	**écouter** (parce que je le veux) *J'écoute un disque de Bill Evans* *et de Jim Hall. J'écoute le professeur.* *Tous les matins, j'écoute France Musiques.*
voir (parce que j'ai des yeux) *Dans les musées on voit* *des centaines de tableaux, mais...*	**regarder** (parce que je le veux) *... on n'en regarde vraiment* *que deux ou trois.*
entrer (c'est la première fois) *Oh ! Il y a une nouvelle boutique dans la rue.* *Je vais entrer voir ce qu'il y a d'intéressant...*	**rentrer** (souvent) *Je rentre chez moi.*
la rue = la chaussée, les trottoirs et les immeubles, la rue est fermée, et donc on dit : je marche dans la rue. *Dans les villes, il y a des rues étroites* *et des rues très larges, des rues animées* *et des rues calmes. J'aime marcher* *dans les rues de ma ville.*	**la route** (la route est ouverte, il n'y a pas de maison de chaque côté, et donc on dit : je marche sur la route.) *Elle fait de l'autostop. Elle marche* *sur la route. Personne ne passe.* *Pas une maison devant elle ni derrière elle,* *elle est seule sur cette route.*

■ Ces mots ont presque le même sens.

aimer *J'aime Victor Hugo, mais...*	**adorer** (c'est un intensif du verbe aimer) *... j'adore Marcel Proust.*
une bicyclette *J'ai besoin de faire du sport.* *Je vais acheter une bicyclette.*	**un vélo** (plus courant) *Ils font du vélo tous les dimanches.*
un fleuve = cours d'eau qui va à la mer *Le Mississipi est un fleuve.*	**une rivière** = cours d'eau qui ne va pas à la mer *Je me baigne dans une petite rivière* *près de chez moi.*
un magasin *Quand j'ai besoin d'un manteau, je ne vais pas* *dans les grands magasins, je préfère aller...*	**une boutique** *...dans les petites boutiques* *de mon quartier.*

On apprend par cœur !

Dans la rue, sur la route...

Dans la rue, j'entends les voitures qui passent, les enfants qui crient,
J'entends les gens qui parlent et qui disent n'importe quoi à n'importe qui.

Dans la rue, j'écoute le musicien qui joue une chanson d'aujourd'hui,
J'écoute l'amie qui me parle et me sourit.

Sur la route, j'entends les oiseaux qui chantent.
J'entends au loin les sons de la campagne vivante.

Sur la route, je m'arrête et j'écoute le vent qui me raconte ses aventures,
Je m'arrête et j'écoute les petits bruits de la nature.

Dans la rue, je passe et je vois des gens qui entrent quelque part,
Je vois un enfant qui rentre à la maison, un enfant qui part.

Dans la rue, je m'arrête et je regarde les affiches publicitaires,
Je regarde les menus des restaurants populaires.

Sur la route, je marche et je vois le ciel et les arbres dans le vent,
Je vois la route devant moi et parfois un chien méchant.

Sur la route, je regarde le petit insecte qui se pose sur mon blouson,
Je regarde une fleur dont je ne connais pas le nom.

Et ainsi, je connais la rue, je connais la route, je connais le monde,
Je sais qu'il est là, qu'il est près de moi, et je sais que la Terre est ronde.

| Entendre | Écouter | Voir | Regarder |

3 QUAND LES MOTS SE RESSEMBLENT

1 • Les homonymes

Les homonymes sont des mots qui se prononcent ou s'écrivent de la même façon, mais dont le sens est différent.
Père ou pair ? Mère ou mer ?...

Ambiance de famille

1 *Ma **mère** aime la campagne, mon **père** lui, aime la **mer** ; mais il aime aussi ma mère, alors nous passons nos vacances loin de la mer, dans un petit village. Le **maire** de ce village est un cousin de ma mère.*

*Là, nous retrouvons les autres personnes de la famille. Mes **tantes** et*
5 *mes cousins. Il y a aussi une jeune fille au **pair** pour garder les enfants. Il n'y a pas beaucoup de place dans la maison. Alors, les garçons plus âgés dorment dans une **tente**. Elle est au milieu d'un petit **champ près** de la maison, et tous les enfants veulent dormir dans cette tente. Mais souvent, il fait froid la nuit. Alors, quand ils dorment sous*
10 *la tente, ils mettent deux et même trois **paires** de vieilles chaussettes et des bonnets. Et le matin, très tôt, le **chant** des oiseaux réveille les enfants. Quand le petit déjeuner est **prêt**, on voit des enfants en pyjama, en chaussettes bleues, rouges, jaunes, vertes et en bonnets assis autour de la table, les yeux encore pleins de sommeil. Et c'est un*
15 *spectacle étonnant*.*

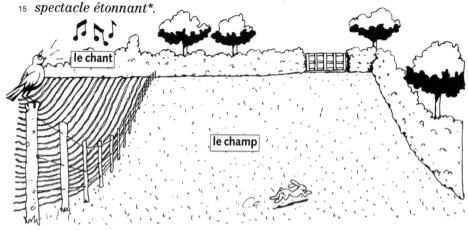

l. 15 : étonnant : qu'on n'attend pas, inattendu, qui surprend.

On récapitule

Ces mots se prononcent de la même façon, mais ils n'ont pas le même sens.

le champ	le chant	
Le cheval est dans **le champ** de pommes de terre.	J'écoute **le chant** des oiseaux.	
la mer	**la mère**	**le maire**
La mer est calme. Elle est bleue.	Elle est **mère** de sept enfants.	**Le maire** de Paris dirige la Ville de Paris. Il fait des pistes cyclables, il installe un tramway…
une paire	**le père**	**le pair**
C'est l'hiver, j'ai froid aux mains, j'achète **une paire** de gants.	Mon **père** est anglais, ma **mère** est française.	Ann est jeune fille au **pair** à Paris ; elle travaille dans une famille française ; elle emmène les enfants à l'école, et elle fait un peu de ménage.
près	**prêt**	
Strasbourg est **près** de l'Allemagne.	Le petit déjeuner est **prêt** : tout est sur la table. Le pain, la confiture, le thé, le lait, le café, le miel, le beurre.	
la tente	**la tante**	
J'aime beaucoup le camping. J'emporte ma **tente** et je pars. Quand un endroit est joli, j'installe ma tente et je reste là quelques jours…	La sœur de ma mère et la sœur de mon père sont mes **tantes**.	

BONJOUR MA TANTE !

On apprend par cœur !

*Dans ce village, loin de la **mer***
*Il y a un **maire***
*Qui est le cousin de ma **mère** !*

*Qui aime la **mer** ? Mon **père** !*
*Qui n'aime pas la **mer** ? Ma **mère** !*
*Qui aime ma **mère** ? Mon **père** !*
*Qui ne va pas à la **mer** ? Mon **père** et ma **mère** !*

*C'est une jeune fille au **pair***
*Qui aime les chaussures, elle en a des **paires** et des **paires** !*

*Ma **tante** et la **tente** sont différentes !*
Ma tante a un « a », bien rond !
La tente a un « e », bien long !
Ma tante est vivante,
La tente est comme une plante
*Qui pousse dans un **champ**.*
Et dans ce champ, qu'est-ce qu'on entend ?
*Un **chant** !*

2 • **Les homonymes** (suite)

Quel cinéma !

1   *Un nouveau film passe dans un cinéma de mon quartier. C'est la séance de 16 h 30. Par terre, il y a des pots de pop-corn vides, des bâtons d'esquimaux, des papiers de bonbons. C'est très sale. C'est toujours comme ça après la première séance, la séance de 14 heures.*

5   *On ne sait pas pourquoi, les gens ont faim dans une salle de cinéma et ils mangent. C'est une salle où on voit des films d'action. Les acteurs donnent et reçoivent des coups, le sang coule sur la peau, il y a des courses de voitures. Et les spectateurs se tordent le cou pour bien voir. Ils aiment ça. Ils regardent et ils mangent. Ils font du bruit*

10   *avec les pop-corn, avec les papiers de bonbons mais ils aiment ça. Sans les pop-corn, sans les esquimaux, pour eux le cinéma n'est pas le cinéma. Et quand le mot « Fin » arrive sur l'écran, ils sont prêts à rester pour une autre séance et même pour cent séances ! Quel cinéma !*

FIN

DÉFENSE DE FUMER

SORTIE

TOILETTES →

Il se tord le cou.

On récapitule

À ne pas confondre :

le coup	le cou	
*Les enfants aiment donner des **coups** ; des **coups** de poing, des **coups** de pied.*	*Autour du **cou**, elle porte une écharpe en soie rouge.*	
la faim	**la fin**	
*Il a **faim**, il mange trois petits pains au chocolat.*	*Nous sommes à la **fin** de l'année 2005. Demain, nous serons en 2006.*	
le pot	**la peau**	
*Sur la table du petit déjeuner, il y a des **pots** de yaourt vides, des **pots** de confiture, et sur le balcon deux **pots** de fleurs.*	*Elle soigne sa **peau**. Elle veut rester jeune.*	
la salle	**sale(s)** (adjectif)	
*La **salle** de cinéma est pleine. Le film est bon.*	*Il est mécanicien. Il a toujours les mains dans les moteurs de voitures. Et ses mains sont **sales**.*	
le sang	**sans** (préposition)	**cent**
*Le **sang** est rouge, il coule dans les veines, il va au cœur.*	*Vous voulez un menu avec dessert ou **sans** dessert ?*	*– Quel est le prix de cette robe ? – **Cent** euros.*

On apprend par cœur !

Une histoire de vampire

Ce vampire qui a **cent** ans,
Ne peut pas vivre **sans**
Le **sang** des vivants !
Il a toujours **faim**
Dans sa vie sans **fin**.
Alors il met ses dents
Dans le **cou** des gens,
Et il boit !

Coucou, c'est moi !
Un **coup** de dents,
Et il boit sur la **peau** des vivants,
Peau douce, peau propre ou **sale**,
Il boit. Dans la **salle**
De cinéma,
Les spectateurs crient.
Ils ont peur. Et puis ils rient,
C'est du cinéma !

3 • **Les homonymes** (suite)

■ **Maître ou mètre ? Cour, cours ou court ?**

(voir les suffixes p. 49-50)

De l'école au lycée

1 *L'école primaire est différente du collège et du lycée. Au lycée, au collège, il y a des élèves et des professeurs ; à l'école primaire, il y a des élèves et des **maîtres** ou des maîtresses.*

À l'école primaire, les élèves ont classe de 8 h 30 à 11 h 30 le matin, et
5 *de 1 h 30 à 4 h 30 l'après-midi. Au collège et au lycée, les élèves ont des **cours** d'une heure. Des cours de mathématiques, des cours d'anglais, d'allemand, de russe, de littérature, d'histoire... Entre chaque cours, ils passent un moment, bien **court** dehors. Au lycée, les élèves bavardent, lisent dans la **cour** ; au collège, les élèves sont encore des enfants et ils*
10 *jouent, ils **courent** comme à l'école primaire. Les cours ne sont pas grandes, elles ont sept **mètres** de long et six mètres de large et les murs sont **hauts**. Ces bâtiments ne sont pas beaux. Ils sont souvent **laids**. À midi, beaucoup d'élèves déjeunent à la cantine. Des cantines aux murs **verts**. Ils mangent **sur** des tables en bois. Ils ne boivent pas de vin ni de bière,*
15 *ils boivent de l'eau ou du **lait** dans des **verres** épais.*

*Tous ces élèves, c'est **sûr**, attendent la fin de l'année.*

Ils ont un cours.

Il court.

La cour.

On récapitule

À ne pas confondre :

court (adjectif) *Elle avait les cheveux longs. Elle les a coupés.* *Maintenant, ils sont très **courts**.*	**ils courent** (v. courir) *C'est un champion. **Il court** le 100 mètres* *en 9 secondes.*
la cour *Les enfants quittent la classe à 10 heures ;* *ils vont dans **la cour** et ils jouent.*	**le cours** *J'ai **un cours** de latin à 9 heures et un cours* *de maths à 10 heures.*
l'eau (f.) *Il ne boit jamais de vin, seulement de **l'eau**.*	**haut** (adjectif) *Le mur est **haut**. Il a dix mètres de haut.*
le lait *Notre vache donne un **lait** excellent,* *bien blanc, bien chaud.*	**laid** (adjectif) *Beaucoup de gens trouvent les bâtiments* *modernes très **laids**.*
le maître *Le **maître** interroge les élèves.*	**le mètre** *Ma chambre a six **mètres** de long* *et trois mètres de large.*
sur *Je m'assieds **sur** une chaise.*	**sûr** (adjectif) *Je suis **sûr** qu'il va pleuvoir.*
le verre *Il y a de l'eau dans **le verre**.*	**vert** (adjectif) *Le gazon est **vert**.*

On apprend par cœur !

Sur la lune

*Les hommes sont allés **sur la Lune**,*
*ça, c'est **sûr** !*
*La Lune, c'est **haut***
et sur la Lune, il n'y a pas d'eau.
*Il n'y a pas de **lait**,*
*il n'y a pas d'hommes beaux ou **laids**,*
*il n'y a pas de couleurs, pas de bleu, pas de **vert**,*
*il n'y a pas de matière, pas de fer, pas de **verre**.*
*Il n'y a pas de **cour**,*
*où des élèves **courent***
*avant le **cours** !*

4 • Les homonymes (suite)

Nom ou non ? Moi ou mois ?...

Cher Gustavo !

1   *Bonjour Gustavo !*

Merci de ta carte. Tu n'as pas oublié mon anniversaire. Mais il y a une petite erreur ; je ne suis pas née au mois de juillet, je suis née en mai. Non, non, ce n'est pas grave, c'est gentil quand même !

5   *Comment vas-tu dans ce Brésil qui est si loin et où tu travailles ? Ici, tu sais, c'est l'été. Et moi, cette année, je passe l'été à la campagne. Tu ne connais pas encore mon jardin.*

Je t'écris assise dans l'herbe sous un cerisier aux branches très hautes qui touchent même le toit de notre maison. Nous avons d'autres arbres
10 *fruitiers. Ils poussent près des murs du jardin. Les fruits sont bien mûrs en ce moment ; on les cueille* ou on les ramasse* quand ils tombent sur le sol. Souvent, notre chat, qui n'a pas de nom, vient jouer avec les pommes. Il met son nez dans les fruits, il les sent, il les roule entre ses pattes, il les pousse, et c'est un vrai spectacle. Je passe mes*
15 *après-midi dans ce jardin. Le soleil est chaud, l'air sent bon*, des notes de musique, les notes du concerto en sol pour piano de Ravel arrivent sous les arbres. C'est le paradis. Enfin, presque...il y a ces moustiques qui me piquent les bras, le cou, les jambes... Et puis, toi, tu n'es pas là. Alors, je t'attends dans mon jardin, à bientôt. Marie.*

---

l. 11 : cueillir = couper et prendre.
       ramasser = prendre ce qui est tombé par terre.
l. 15 : l'air sent **bon** : ici, bon avec un verbe est un adverbe invariable. L'air sent bon = l'air a une bonne odeur.

On récapitule

Et on ne confond pas :

mai *janvier, février, mars, avril, **mai**, juin, juillet, août, septembre, octobre, novembre, décembre, ce sont les douze mois de l'année.*	**mais** *Il est intelligent **mais** arrogant.* *Il n'est pas grand mais petit.*
le mois *Il y a douze **mois** dans une année ; janvier, février, mars, avril...*	**moi** ***Moi**, moi, moi, quel égoïste !*
le mur *Ma chambre a quatre **murs**.*	**mûr(e)** *Beurk ! Cette pêche n'est pas **mûre**, elle est verte, elle n'est pas bonne.*
le nez *Elle n'aime pas son grand **nez**.*	**né(e)** *Je suis **née** en septembre, en 1996.*
le nom *Elle a un **nom** très célèbre.* *Elle s'appelle Marie Shelley.*	**non** *– Dis-moi ton âge ?* *– **Non** !*
le sol *En automne, il y a beaucoup de feuilles jaunes sur le **sol**.*	**sol** *Do, ré, mi, fa, sol, la, si, do, do, si, la, **sol**, fa, mi, ré, do.*
le toit *Il y a des trous dans le **toit** et il pleut dans la maison.*	**toi** ***Toi**, toi, toi, tu parles toujours de toi !*

On apprend par cœur !

Je suis **né** avec le **nez**
de mon père
et les pieds
de ma mère.

Au-dessus du **mur**
il y a un arbre
et dans l'arbre
des fruits bien **mûrs**.

– Dis-moi ton **nom**.
– **Non** !

Moi, j'aime le **mois** de mai,
le joli mois de mai !

Assise par terre sur le **sol**
elle chante, do, ré, mi, fa, **sol**, la, si, do, do, si, la, sol, fa, mi, ré, do !

Comment c'est, chez **toi**,
Dans ta petite chambre, sous les **toits** ?

ON ENTRE
DANS LA LANGUE

1 ON CROIT QUE C'EST PAREIL MAIS CE N'EST PAS PAREIL

1 • Quand le contexte change le sens

La valise n'est pas lourde, elle est légère ; le café n'est pas fort, il est léger…

(voir les antonymes p. 98 à 100)

Pause sur l'autoroute

1 *Il fait chaud, le ciel est clair. Les vacanciers roulent vers la Bretagne, vers la mer. Certains transportent des valises très lourdes. D'autres ont des bagages légers. À midi, ils s'arrêtent pour déjeuner. Ils ont du pain frais, ils n'aiment pas le pain congelé des restoroutes. Ils ont des*
5 *thermos pleins de thé ou de café, un café bien fort, différent du café léger des cafétérias. Ils portent des vêtements d'été, des tenues légères. Ils ont aussi emporté des vêtements plus épais. En Bretagne, les soirées et les journées sont parfois fraîches.*

Une famille est assise autour d'une table en pierre. Les jeunes et les
10 *vieux mangent, boivent, bavardent, jouent aux cartes. Un enfant court, tombe, pleure. Ce n'est pas grave, c'est une petite blessure, une blessure légère. On lave sa blessure avec de l'eau claire.*

Une voiture de sport toute neuve s'arrête. Un jeune homme et une jeune femme en descendent*. Beaux, minces, bronzés. Ce sont peut-être des
15 *touristes étrangers, ils ont un léger accent. Ils étudient une carte routière avant d'entrer dans le restaurant. Là, on leur présentera la carte et ils choisiront les plats, les desserts. Il fait de plus en plus chaud, l'air devient lourd et le ciel est plus sombre ; les nuages arrivent.*

Assise, sur un banc, une petite fille écrit déjà une carte à une de ses amies.

20 *Un homme assez gros, très fort, gare sa vieille voiture à côté de la voiture de sport. Il prépare un sandwich au saucisson, un sandwich avec des tranches de saucisson bien épaisses. Tous les chiens présents s'assoient devant lui. Ils reçoivent quelques tranches plus minces. L'homme se met à chanter, il a une belle voix grave. Tous les chiens s'en vont.*

25 *Une heure plus tard, ces vacanciers repartent, mais d'autres arrivent et on revoit les mêmes scènes.*

l. 14 : **en** descendent = descendent de la voiture.

On récapitule

Un même mot peut avoir plusieurs sens selon le contexte.

---

une carte
*Quand nous partons en vacances, nous envoyons des **cartes postales** à nos amis.*
*Les gens qui font des promenades en forêt, les promeneurs, utilisent souvent des **cartes routières** pour trouver leur chemin.*
*Le garçon présente la **carte du restaurant** aux clients. Ils vont choisir leurs plats et leurs vins.*
*Elle aime tous les jeux de **cartes** : le bridge, le poker, la canasta, le rami et même la bataille.*

---

clair(e)
*Le temps est **clair**, il n'y a pas un seul nuage ; mais voilà les nuages, le ciel devient sombre.*
*Cette eau est **claire**, propre, tu peux la boire ; attention, l'eau de la rivière n'est pas **claire**, elle est sale.*

épais, épaisse
*Il coupe une tranche de saucisson bien **épaisse**, bien grosse, pour lui, et une tranche très mince pour son chien.*
*Brrr, il fait froid, je mets un vêtement plus **épais**, plus chaud, sur moi. Un pull en laine.*

---

fort(e)
*Les déménageurs sont très **forts**. Ils portent des meubles très lourds.*
*Le client a demandé un café bien serré, bien noir, **fort**.*

---

frais, fraîche
*J'achète mon pain à 7 heures du matin, il est très **frais**. À midi, il est déjà plus dur.*
*Il fait moins chaud, ce soir, il fait déjà **frais**. J'ai besoin d'un pull.*

---

grave
*L'enfant est tombé, mais sa blessure n'est pas **grave**, elle est légère.*
*Parmi les chanteurs, la voix **grave** des basses s'oppose à la voix haute, aiguë des soprani.*

---

léger(e)
*Les flocons de neige tombent, blancs et si **légers**, aussi **légers** qu'une plume !*
*Ils sont en vacances, c'est l'été, ils portent des tenues **légères**.*

*Mais qu'est-ce que c'est que ce thé ? Il est vraiment **léger**. Moi, j'aime le thé bien fort.*
*Ne pleure pas ! Ce n'est rien, un petit bobo ! Ce n'est pas grave ! C'est une blessure très **légère**.*

lourd(e)
*Cette table en marbre est **lourde**, elle pèse 200 kg.*

> Il fait de plus en plus chaud, le temps est lourd.

mince
*Les mannequins qui présentent les vêtements des grands couturiers sont très **minces**, elles sont même parfois très maigres. Chaque femme, à côté, a l'air grosse. Elle a peur de grossir. Elle coupe des tranches de pain, très fines, très **minces**, alors que son frère mange une tranche de pain bien épaisse.*

vieux, vieille
*Mon oncle est déjà très âgé, très **vieux**, il a quatre-vingt-six ans. Mais tout le monde trouve qu'il fait jeune.*
*Il a vendu sa **vieille** voiture. Il a acheté une voiture neuve.*

On apprend par cœur !

Vent frais, brumes matinales !

Circulation importante sur l'autoroute !

Premiers jours de vacances, jours des grandes foules*,
Les vacanciers roulent, roulent
*dans des voitures **neuves**, dans de **vieilles** voitures.*
Attachez vos ceintures !
*La météo annonce : vent **frais***
et brumes matinales*.
*Ciel **clair** à midi, mais*
*temps plus **lourd** et **forte** chaleur générale*
dans l'après-midi.
*Les vacanciers roulent dans l'air **léger** de la nuit,*
un vendredi ou un samedi,
jours des grands départs,
jours des bons conducteurs ou des chauffards*.

Circulation importante sur l'autoroute !

———————
l. 1 : **une foule** = beaucoup de monde.
l. 6 : **brume matinale** = de fines gouttes d'eau en suspension dans l'air du matin.
l. 13 : **un chauffard** = un mauvais conducteur.

2 • Quand le pronom change le sens

■ J'ai passé une mauvaise nuit. Que se passe-t-il ?

Quel mauvais rêve !

1   *Je passe sur un pont et j'entends des cris horribles. Que se passe-t-il ?*

Je cours. Je regarde en bas vers le fleuve et je vois une femme.

Elle se tient debout sur le quai, tout près de l'eau. Elle tient quelque chose dans sa main. Un homme, en pyjama, se trouve à côté d'elle. Il
5   *crie : « Non, ne fais pas ça, s'il te plaît non, non, je vais changer, tu vas voir, je vais être différent ! » Elle se met à crier aussi : « Je l'ai cherché longtemps et je l'ai enfin trouvé. Et puis va te changer, tu es ridicule en pyjama. » L'homme répète : « Non, non, ne fais pas ça ! ».*

Je veux appeler la police. À ce moment, un jeune homme vient vers
10   *moi. Il me dit : « Ah, vous avez un parfum délicieux ! Vous sentez bon ! Comment vous appelez-vous ? » Et il part. C'est une histoire de fou !*

Mais que font cet homme et cette femme en bas ? Que se passe-t-il ?

Et puis, il y a un bruit épouvantable. C'est le réveil. Il est huit heures du matin. C'était un rêve ! Je me lève, je vais à la salle de bains, je me
15   *sers de la brosse à dents pour me coiffer. Dans la salle à manger mes parents ont l'air étonné. Ma mère me sert une tasse de thé et elle me demande : « Qu'est-ce qui se passe ? Tu as mis du dentifrice dans tes cheveux. Tu te sens bien ? ». Je réponds : « J'ai fait un rêve ! Une histoire affreuse. Je ne comprends pas ce rêve. Je crois que je vais aller*
20   *chez un psy ! »*

On récapitule

Un verbe pronominal peut avoir un sens différent du même verbe non pronominal.

appeler	**s'appeler**
J'appelle les enfants. « Les enfants, venez manger, le repas est prêt ! »	*Je m'appelle Valentine, et toi ?* *Je m'appelle Charlotte.*
changer	**se changer**
Elle a beaucoup changé ; elle sort moins, elle travaille plus.	*Je sors ce soir, je vais me changer. Je vais mettre d'autres vêtements.*
mettre	**se mettre à** = commencer
J'ai mis un tapis marocain dans le salon.	*J'ai ouvert le livre et je me suis mise à lire.*
passer = avancer sans arrêter *Pour aller au bureau, je passe par la rue de la Chine.* *Je passe mes vacances au bord de la mer.*	**se passer** = se déroule *L'action du film se passe en Alaska.* *Où ça se passe ? Chez Alain ou chez Michel ?* *Que se passe-t-il ? Tu vas bien ? Tu as l'air malade. Ça va ?* (= Qu'est-ce qu'il y a ?)
sentir *Ces fleurs sentent très bon ! Sens ! Tu sens ce parfum délicieux ?* *La maison sent la tarte aux pommes.* *Tu sens Shalimar de Guerlain. C'est ça ?*	**se sentir** *Comment vous sentez-vous ?* *Je me sens bien maintenant ; tout à l'heure, j'ai eu un moment de fatigue, mais ça va mieux.*
servir = être utile à, offrir *Qu'est-ce que c'est ? À quoi ça sert ?* *C'est une clé, elle sert à ouvrir n'importe quoi.* *Je sers le thé. Il y a des gâteaux sur la table. Je te sers ?*	**se servir de** = utiliser *Je me suis servi de la pince pour ouvrir la bouteille.* *Elle se sert d'un plumeau pour enlever la poussière.*
tenir *Qu'est-ce qu'elle tient dans sa main ?* *Ma petite fille tient toujours son doudou dans la main, c'est un morceau de tissu très doux.*	**se tenir** *Le professeur se tient devant le tableau.* *Le chef d'orchestre se tient sur une petite estrade et il tourne le dos au public.*
trouver *Dans la rue, j'ai trouvé un portefeuille, par terre, près de la station de métro.* 	**se trouver** = être situé *La Grande Muraille se trouve en Chine.* *Le Sphinx se trouve près d'une pyramide.*

On apprend par cœur !

Au musée

Où ça **se passe** ?
Dans un musée.
Qui **passe** et repasse
Dans les galeries du musée ?
Des visiteurs fatigués.
Où **se trouvent** les tableaux ?
Sur les murs, tout en haut.
Où **se tiennent** les visiteurs ?
Devant les tableaux, devant les meilleurs.
Qu'est-ce qu'ils tiennent à la main ?
Un appareil photo.
De qui est ce tableau ?
Ce tableau est de Picasso ?
Alors, clic, clac,
C'est dans le sac.
Comment **s'appelle** ce tableau ?
Et qu'est-ce que c'est, un chapeau ?

3 • Quand le complément change le sens

■ Je prends un livre, je prends le métro...

Bon appétit !

1 *Ma grand-mère adorait faire des gâteaux.*

*Elle **faisait des gâteaux**, **des meringues** pour son mari qui **faisait du vélo** avec ses collègues de bureau. Chaque dimanche, les amis prenaient l'air, ils sortaient de Paris, ils oubliaient le bureau et le tra-*
5 *vail. Ils **mettaient les meringues** de la grand-mère dans un panier, **mettaient leur jogging**, **prenaient leur parka**, pour ne pas **prendre froid**, montaient sur leur bicyclette, et **prenaient la route** de Versailles. Ils **mettaient trois heures** pour **faire les vingt kilomètres** parce qu'ils **faisaient plusieurs arrêts** pour boire ou manger une*
10 *meringue.*

*Si vous n'avez pas peur de **prendre du poids**, si vous n'avez pas peur de grossir, voici la recette de ma grand-mère pour **prendre des forces** quand vous **faites du sport**.*

*Vous **prenez six œufs**. Vous **mettez les blancs** dans un bol et vous les*
15 *battez **en neige** et en même temps vous ajoutez le sucre petit à petit. Quand le mélange est presque solide, vous ajoutez des noix en petits morceaux, et tout à la fin, quelques gouttes d'eau de fleur d'oranger. Vous **mettez au four** un petit quart d'heure. C'est délicieux, mais réservé aux grands sportifs.*

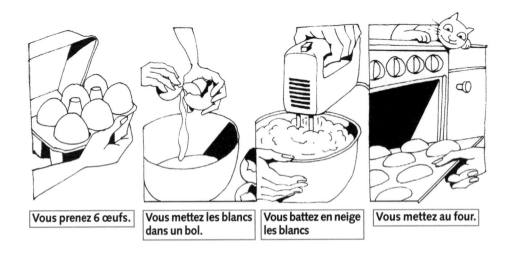

| Vous prenez 6 œufs. | Vous mettez les blancs dans un bol. | Vous battez en neige les blancs | Vous mettez au four. |

On récapitule

Un complément peut changer le sens d'un verbe.

---

faire

faire un gâteau = fabriquer
Je fais une tarte aux cerises que nous mangerons à cinq heures avec le thé.

---

faire un arrêt = s'arrêter
Attendez, je suis fatigué, je descends de vélo, je fais un petit arrêt pour respirer.

---

faire du sport, faire du vélo = pratiquer un sport, pratiquer le vélo. (attention, dans ce sens, on utilise l'article partitif, du, de la, de l' ; faire du judo, faire de la natation...)
Les Français n'étaient pas de grands sportifs ; mais depuis quelques années, ils font du sport. Ils font du vélo, du jogging, du tennis...

---

faire vingt kilomètres = parcourir la distance de vingt kilomètres
Tous les dimanches, ils font 40 kilomètres à vélo ou 20 kilomètres à pied.

---

mettre

mettre un vêtement, un jogging = s'habiller
Pour aller à la fête, j'ai mis une robe longue.

---

mettre les meringues dans un panier, les blancs dans un bol, les gâteaux au four = placer, poser
J'ai mis tous mes œufs dans le même panier, ce n'est pas une bonne idée, je crois.

---

mettre trois heures pour, à... = utiliser un certain temps, employer un certain temps pour
Il met beaucoup de temps pour faire ses devoirs.
Elle met deux heures à faire un gâteau et les invités mettent quelques minutes à le manger.

---

prendre
prendre un objet
« Prends le livre qui est sur la table et donne-le moi, s'il te plaît : »
Il pleut, je prends mon parapluie.
Je prends trois œufs pour faire le gâteau.

---

prendre l'air
Il fait chaud dans cette pièce, on étouffe. Je sors sur le balcon pour prendre l'air, pour respirer.

---

prendre des forces
La publicité conseille aux sportifs de boire des boissons pleines de vitamines, pour prendre ou reprendre des forces pendant une compétition sportive.

---

prendre froid
Elle est sortie sans manteau, en robe légère, et elle a pris froid. Elle a de la fièvre, elle tousse.

---

prendre du poids
Il ne prend plus de sucre, il ne mange plus de sucre, il a peur de prendre du poids, il a peur de grossir.

---

prendre la voiture, le métro, le bus, la bicyclette..., la route
Pour aller au travail, je prends le métro ou le bus.
Quand je fais des promenades à bicyclette, je prends souvent la route qui va à Versailles.

On apprend par cœur !

Pour rire (peut-être !)

Prends ton manteau et sors, va prendre l'air !
Mais ne prends pas froid !

Prends des forces mais pas du poids !

Il a pris son livre et... le métro !

Je fais de la bicyclette !
Et j'en fais, des kilomètres !

Tu mets deux heures
pour mettre une robe !

4 • Quand la préposition change le sens

■ Je joue du piano, je joue au tennis.

Vous n'êtes pas sérieux !

1 **Le maître de stage** – *Votre stage dans ce cabinet d'avocats n'est pas encore fini et je tiens à vous dire déjà ce que je pense de votre travail. Je vais vous en parler en toute sincérité. Vous tenez votre avenir entre vos mains. Vous devez penser à vos années à venir. Vous*

5 *commencez seulement votre vie professionnelle et vous la commencez par un stage, c'est-à-dire que vous n'avez pas encore de responsabilités. Vous apprenez. Vous commencez à apprendre. Je suis donc surpris de voir que dans les bureaux certains stagiaires jouent à des jeux vidéo, que d'autres jouent aux cartes, ou encore*

10 *que d'autres jouent de la guitare. Tout cela est charmant, mais ce n'est pas très professionnel. Et puis vous passez de nombreux coups de fil personnels. Oui, c'est vrai, cela se passe pendant les heures des repas, mais cela n'est pas très sérieux dans un cabinet d'avocats. Moi aussi, je suis passé par là. Je peux vous comprendre.*

15 *Je vous ai même défendus devant le grand patron. Mais la direction est très sévère. Et puis, il est défendu de fumer dans les bureaux et hum, hum... ! Je n'en dis pas plus...*
Et maintenant, les compliments. Vous êtes sympathiques et je vous souhaite bonne chance.

Les stagiaires *(à voix basse entre eux) – C'est ça, les compliments ?*

Jouer aux cartes.   Jouer de la guitare.

On récapitule

commencer   *Je commence un nouveau livre.*
commencer à   *J'ouvre le livre à la première page et je commence à lire.*
commencer par   *J'ai deux romans à lire. Un roman policier et un roman d'aventures. Je commence par le roman policier.*
défendre quelqu'un   *Le chien défend son maître. Il a mordu la jambe du voleur.*
défendre à quelqu'un **de**   *Le maître défend à ses élèves de fumer dans la classe.*
jouer   *Les enfants ont fini leurs devoirs et maintenant ils jouent.*
jouer à (sport, jeu de société)   *Pendant nos vacances, nous jouons aux cartes, nous jouons au tennis, nous jouons au golf.*
jouer de (un instrument de musique)   *Elle joue du violon, son frère joue de la guitare et sa sœur du piano.*
parler   *Elle ne peut pas se taire, c'est une bavarde, elle parle, elle parle.*   *Je parle français, anglais, allemand...*
parler à   *Dans la rue, j'aime bien parler aux gens.*
parler de   *Avec mes amis, je parle des livres que je lis, des films que j'ai vus, de la politique...*
passer   *Le facteur passe, le facteur arrive toujours à la même heure.*   *J'ai passé, j'ai vécu deux ans en Australie.*
passer par   *Je passe par le jardin du Luxembourg, je traverse le jardin pour rentrer chez moi.*   *Je suis passé par les mêmes difficultés que vous, j'ai connu les mêmes difficultés.*
penser à   *Quand son petit ami n'est pas avec elle, elle pense tout le temps à lui. Elle a toujours son image dans la tête.*
penser de   *Quelle est ton opinion sur ce film ? Que penses-tu de ce film ?*   *Tu le trouves bon, mauvais, intéressant ?*
tenir   *Elle tient un parapluie dans sa main. Elle tient sa vie entre ses mains.*
tenir à + infinitif   *Je veux partir, je tiens à partir. Je veux te dire la vérité, je tiens à te dire la vérité.*

On apprend par cœur !

Un chef de service antipathique

Vous travaillez dans une entreprise,
Vous fabriquez des manteaux et des chemises.
*Alors **commencez par** être à l'heure,*
*Ici, la journée **commence à** huit heures*
Et pas à dix heures !
*Ne **jouez pas à** des jeux vidéo !*
*Ne **jouez pas du** saxo,*
Et ne fumez pas dans les bureaux.
***Pensez à** l'entreprise,*
Ne pensez pas à des bêtises.
***Parlez de** nos projets,*
Ne parlez pas de votre budget*,
*Vous **tenez à** avancer ?*
Alors travaillez !
*Et **défendez** votre métier !*

l. 12 : Le budget = l'argent qu'une famille gagne et dépense.

2 LES EXPRESSIONS IDIOMATIQUES

1 • Les parties du corps

Beaucoup d'expressions sont formées au moyen de mots pris au sens figuré ; ce sont souvent des expressions familières qui peuvent utiliser, comme ici, des termes qui se réfèrent au corps humain.

De la tête aux pieds

1 *Elle est toujours gaie, toujours contente, elle ne fait jamais la tête, elle n'est jamais de mauvaise humeur. C'est une jeune fille charmante.*

Elle est généreuse, elle a le cœur sur la main, vous pouvez lui deman-
der n'importe quoi, elle est toujours là ; elle est gentille, bonne, elle a
5 *un cœur d'or ; elle est prête à donner un coup de main, à apporter*
son aide à tous ses amis et elle est très discrète, elle sait garder un
secret, elle sait rester bouche cousue.

Elle est intelligente mais modeste. Quand elle ne sait pas répondre à
une question difficile, elle le dit, elle donne sa langue au chat. Elle
10 *n'a peur de rien, elle n'a pas froid aux yeux. Dans les situations diffi-*
ciles, elle garde toujours la tête froide, elle garde son calme.

Il n'y a pas beaucoup de gens comme elle. On peut les compter sur les
doigts d'une main.

Beaucoup de garçons lui font les yeux doux, mais elle a la tête sur
15 *les épaules, elle sait ce qu'elle fait, elle réfléchit avant d'agir, elle a*
les pieds sur terre.

Son seul défaut, c'est qu'elle a la langue bien pendue, elle parle
beaucoup, c'est une bavarde, elle n'a pas la langue dans sa poche,
mais elle a un cheveu sur la langue, elle zozote. Et quand on le lui
20 *fait remarquer, elle répond : « Mais non, qu'est-ce que vous racontez,*
ze n'ai pas de ceveu sur la langue. »

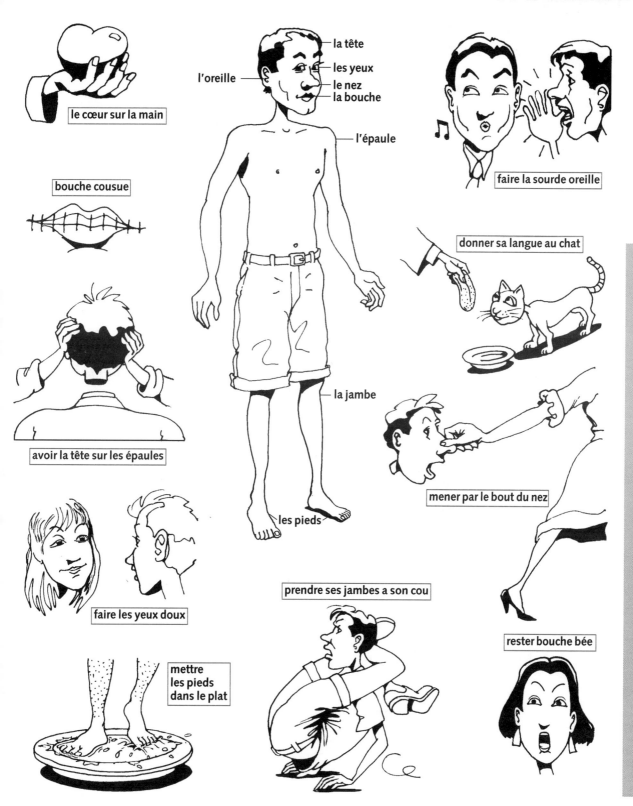

le cœur sur la main

bouche cousue

faire la sourde oreille

donner sa langue au chat

la tête
les yeux
le nez
la bouche
l'oreille
l'épaule
la jambe
les pieds

avoir la tête sur les épaules

mener par le bout du nez

faire les yeux doux

prendre ses jambes a son cou

rester bouche bée

mettre les pieds dans le plat

On récapitule

être, rester bouche cousue (fam.) = garder un secret, ne pas parler
*Nous voulions savoir ce que son amie lui avait dit en secret, mais elle est restée **bouche cousue**, elle n'a rien dit.*

avoir un cœur d'or = être bon
*Elle a **un cœur d'or**. Elle est toujours prête à aider ceux qui ont besoin d'elle. Quand un de ses amis est malade, elle reste auprès de lui.*

avoir le cœur sur la main = être généreux
*Elle est très généreuse ; son temps, son argent sont aussi aux autres, à ses amis, à ceux qui le lui demandent. Elle a **le cœur sur la main**.*

donner un coup de main = aider
*Je vais bientôt déménager. Est-ce que tu peux venir me donner **un coup de main** pour transporter mes livres, mon lit et le piano ?*

compter sur les doigts d'une main = peu nombreux
*Ce bon pianiste n'est pas encore célèbre. Et quand il donne un concert, on peut **compter** les spectateurs **sur les doigts d'une main**, sur ses dix doigts !*

avoir un cheveu sur la langue (fam.) = zozoter
*Ce petit garçon a **un cheveu sur la langue**, il zozote. Quand il prononce des phrases comme celle-ci : « Je veux jouer avec toi, je cherche un ami. » tout le monde rit. Voici ce qu'il dit : « Ze veut zouer avec toi. Ze cerce un ami. »*

ne pas avoir la langue dans sa poche (fam.) = être très bavard
*« Dis donc, tu peux t'arrêter une seconde de parler ! Ah ! Celui-là, il **n'a pas la langue dans sa poche**, il parle, il parle… »*

avoir la langue bien pendue (fam.) = parler facilement, savoir répondre
*« Ah, il sait répondre, il n'accepte pas ce qu'on dit de lui, il a **la langue bien pendue** ».*

donner sa langue au chat (fam.) = dire qu'on est incapable de trouver une solution
*Quand j'étais petite, je jouais souvent aux devinettes avec mes frères et sœurs ; quand on ne trouvait pas la réponse à la charade, on disait : « **Je donne ma langue au chat**, je ne sais pas ».*

avoir les pieds sur terre = être réaliste
*Elle a l'air de rêver tout le temps, mais ne vous inquiétez pas, elle sait exactement ce qu'elle veut, ce qu'elle peut faire, **elle a les pieds sur terre**.*

faire la tête (fam.) = bouder, montrer du mécontentement
*Je ne le supporte pas. Il n'est jamais content, il n'est jamais souriant, il **fait** toujours **la tête**, et en plus, je ne sais jamais pourquoi.*

avoir la tête sur les épaules (fam.) = être sensé, avoir du bon sens
*Quand tu lui demandes un conseil, tu peux avoir confiance en elle, elle a **la tête sur les épaules**.*

garder la tête froide = garder son calme
*Quant tout le monde perd la tête, quand tout le monde court à droite et à gauche, elle, elle garde son calme, elle garde **la tête froide**.*

> faire les yeux doux **à quelqu'un** = regarder quelqu'un avec amour
> *C'est très ennuyeux. Ce garçon me **fait les yeux doux**, mais moi je ne l'aime pas.*

> **ne pas** avoir froid aux yeux (fam.) = ne pas avoir peur
> *Il réussira dans la vie, rien ne lui fait peur, il **n'a pas froid aux yeux**.*

On apprend par cœur !

Mon ami

C'est mon ami, le voilà, il s'approche,
*Attention, il **n'a pas la langue dans sa poche** !*
*Il ne reste pas **bouche cousue**,*
***Il a la langue bien pendue**.*
***Il n'a pas froid aux yeux**,*
Il est courageux.
*Il ne fait jamais **la tête**,*
Il n'est pas bête !
***Il sait garder la tête froide**, mon ami,*
*Et **la tête sur les épaules**, mon petit,*
*Et **les pieds sur terre**, oui, oui, oui !*
Des gens comme lui,
***On les compte sur les doigts d'une main**.*
***Il a le cœur sur la main**,*
*Et, quand **il fait les yeux doux**,*
C'est un vrai petit chou*.
*Et quel **cœur d'or** !*
Un vrai trésor*...
*Mais je **donne ma langue au chat**.*
*Comment peut-il parler avec ce **cheveu sur la langue**, mon petit chat.*

---

* un petit chou (fam.) = expression de tendresse : il est gentil, mignon.
* un trésor (fam.) = personne comparée à une chose précieuse, terme d'affection.

2 • Les parties du corps (suite)

De la tête au pied ! (suite)

1 – *Salut, tu vas bien ?*

– *Ça va, je sors de chez mes grands-parents.*

– *Comment vont-ils ?*

– *Ils vont bien. Mais chaque fois que je vais chez eux, je constate qu'ils*
5 *sont différents.*

*Ma grand-mère est autoritaire ; pas avec moi, mais elle mène les autres
et mon grand-père aussi par le bout du nez ; lui, il est doux, il est
simple, il aime le calme de sa bibliothèque ; il peut rester des heures
sans lever le nez d'un livre. Elle, elle aime le luxe, les voyages :*
10 *aujourd'hui, mon grand-père m'a parlé à cœur ouvert ; il m'a raconté
qu'elle achète des vêtements qui lui coûtent les yeux de la tête ; moi,
je suis resté bouche bée.*

*Pour moi, ma grand-mère, c'est ma mamie ! La mamie qui me fait des
gâteaux, des gâteaux délicieux, mmm, qui mettent l'eau à la bouche !*
15 *Ce matin, j'avais très faim, j'avais l'estomac dans les talons, alors
j'ai mangé au moins dix gâteaux ! Et toi, qu'est-ce que tu fais ?*

– *Je rentre chez moi. J'étais avec notre ami Jean. Il m'a présenté ses
collègues. Nous avons déjeuné ensemble. Pauvre Jean ! Il a des collègues vraiment stupides, bêtes comme leurs pieds. L'un a mis les*
20 *pieds dans le plat ; il a demandé au patron des nouvelles de sa
femme. Tout le monde sait que sa femme l'a quitté la semaine dernière. Un autre a raconté qu'il ne faisait rien de ses dix doigts au
bureau, qu'il ne travaillait pas. Pauvre Jean ! Lui, qui prend son travail à cœur, qui s'intéresse vraiment à son travail ! Un autre a dit*
25 *qu'il avait tout à l'œil, sans payer, et il m'a demandé de lui prêter,
hum... prêter... ? 500 euros. J'ai fait la sourde oreille, j'ai refusé
d'entendre. Ces gens sont très antipathiques, alors j'ai pris mes jambes à mon cou, je suis parti à toute vitesse.*

Bon, salut, je m'en vais car je ne me sens pas bien. Je claque des
30 *dents, je dois avoir la grippe !*

avoir l'eau à la bouche, mettre l'eau à la bouche = avoir envie de…, donner envie de… *Ce gâteau a l'air délicieux, j'en ai l'eau à la bouche.*
rester, être bouche bée = rester la bouche ouverte parce qu'on est très étonné *Il m'a raconté une histoire extraordinaire, une histoire qu'on ne peut pas croire, j'en suis resté bouche bée.*
à cœur ouvert = avec franchise, avec sincérité *Je vais te parler à cœur ouvert. Tu n'as pas raison.*
prendre à cœur = s'intéresser à *Ce professeur prend à cœur son travail. Il étudie beaucoup pour lui-même, il explique bien à ses étudiants les questions difficiles, il répond à toutes les questions, il reste parfois après la fin du cours avec ses étudiants pour expliquer encore…*
claquer des dents = avoir peur, froid *Toute seule, à minuit, dans la forêt, je claquais des dents ! Il neige ; elle n'a ni manteau, ni pull, elle claque des dents.*
ne rien faire de ses dix doigts = être incapable, être paresseux *Cet homme ne fait rien de ses dix doigts. Il passe son temps sur son canapé, à regarder la télévision. C'est sa femme qui fait tout à la maison.*
avoir l'estomac dans les talons (fam.) = avoir faim *Vite, vite, donne-moi quelque chose à manger, j'ai l'estomac dans les talons.*
prendre ses jambes à son cou (fam.) = partir à toute vitesse *Quand j'ai vu cette personne que je n'aime pas, qui parle pendant des heures de choses qui ne m'intéressent pas, j'ai pris mes jambes à mon cou et je suis parti.*
ne pas lever le nez = rester concentré sur ce qu'on fait *Il aime lire. Il peut lire pendant des heures sans lever le nez.*
mener par le bout du nez = mener quelqu'un là où on veut *Cette femme mène toute la maison par le bout du nez. Tout le monde doit faire ce qu'elle veut.*
à l'œil (populaire) = sans payer *Il rentre souvent à l'œil dans ce cinéma. Il ne paye pas, il connaît la caissière.*
faire la sourde oreille = ne pas vouloir entendre *« Achète-moi la voiture, achète-moi la voiture », disait l'enfant ; mais le père faisait la sourde oreille, il ne voulait pas entendre.*
être bête comme ses pieds (fam.) = être stupide *Ce garçon ne comprend rien, il est bête comme ses pieds.*
mettre les pieds dans le plat = dire, faire une bêtise *Mon voisin met souvent les pieds dans le plat. Par exemple, il demande à notre gardien : « Alors, votre femme va bien ? » Et le gardien répond : « Mais vous savez bien que ma femme est partie depuis trois ans. »*
coûter les yeux de la tête = coûter très cher *Tu ne vas pas acheter cette robe de grand couturier ? Elle doit coûter les yeux de la tête. Attends, je vais te dire. Quoi ? Elle coûte 1 000 euros !*

III ■ 2. LES EXPRESSIONS IDIOMATIQUES • 2. LES PARTIES DU CORPS (SUITE)

On apprend par cœur !

Qui vous mène par le bout du nez ?

*Qui vous **mène** par le **bout du nez** ?*
Celui que vous aimez !

*Qui **prend ses jambes à son cou** ?*
Un garçon qui n'est pas amoureux de vous !

*Qui reste **bouche bée** ?*
Une femme étonnée !

*Qui est **bête comme ses pieds** ?*
Celui qui va au marché avec un porte-monnaie troué.

*Qui vous parle **à cœur ouvert** ?*
Votre père ou votre mère !

*Qui **fait la sourde oreille** ?*
Celui qui a sommeil !

*Qu' est-ce qui **coûte les yeux de la tête** ?*
Vos robes, vos manteaux, vos toilettes !

*Qui est-ce qui **a l'eau à la bouche** ?*
Celui qui, sans dîner, se couche !

*Qui met **les pieds dans le plat** ?*
C'est le petit chat ?

*Qui a **l'estomac dans les talons** ?*
C'est l'homme qui rentre à la maison.

*Qui ne **fait rien de ses dix doigts** ?*
C'est toi ! – Non, c' est toi !

3 • Les animaux

Ces expressions figurées, familières, utilisent aussi des termes qui appartiennent au monde animal.

Elle avait un chat dans la gorge !

1 Un chef de chœur prend sa retraite* et présente au nouveau chef la chorale qu'il va diriger.

Le chef de chœur – *Nous sommes dans une salle de la mairie. Le maire a la gentillesse de nous laisser cette salle pour nos répéti-*
5 *tions. Mais revenons à nos moutons, je voudrais vous présenter nos chanteurs avant la répétition.*
Les soprani et les altos sont excellentes, mais il faut appeler un chat un chat, il faut dire la vérité, ces deux groupes de jeunes filles ne s'aiment pas, je ne sais pas pourquoi. Elles s'entendent comme
10 *chien et chat, il y a toujours des disputes entre elles et j'ai un mal de chien à les calmer. Je vous assure, j'ai une vie de chien avec elles. Heureusement, elles chantent bien !*
Les ténors sont très gentils. Ils sont doux comme des agneaux, mais ils ont un petit défaut : je ne sais pas pourquoi, ils ont toujours
15 *faim. Quand nous sommes en répétition ils demandent toujours une pause : « Nous avons faim, nous avons une faim de loup. »*
Notre soliste, notre vedette, est souvent en retard ; elle rentre à pas de loup, en silence, mais je l'entends toujours. Cette jeune femme a une langue de vipère, elle dit du mal de tout le monde, c'est une
20 *vraie peau de vache. Mais elle apprend très vite, elle retient par cœur de très nombreux morceaux. Elle a une mémoire d'éléphant. Je ne sais pas si elle sera là aujourd'hui, hier elle était un peu enrouée, enrhumée, elle avait un chat dans la gorge et elle n'a pas pu chanter !*

25 **Le nouveau chef de chœur** – *Votre chorale est un peu spéciale. Je ne veux pas passer du coq à l'âne, mais je comprends pourquoi la soliste est enrouée. Il fait un froid de canard ici. Il n'y a pas de chauffage ? Et il n'y a pas de lumière. Il fait sombre, cette grande salle toute noire me donne la chair de poule.*

30 **Le chef de chœur** – *Du chauffage, de la lumière, vous rêvez ? La mairie les installera quand les poules auront des dents !*

---

l. 1 : prendre sa retraite = ne plus travailler parce que l'on a 65 ans.

On récapitule

doux comme un agneau = être très doux, très gentil *Jean est très gentil, il est **doux comme un agneau**.*
un froid de canard (fam.) = très froid *Je rentre chez moi. Il fait très froid dehors. Il fait **un froid de canard**.*
appeler un chat un chat (fam.) = être franc *Appelons **un chat un chat**, ce garçon est très bête.*
avoir un chat dans la gorge = être enroué, ne pas avoir la voix claire *Hum, hum, je ne peux pas chanter, j'ai **un chat dans la gorge**.*
s'entendre comme chien et chat = se disputer *Ce frère et cette sœur s'entendent **comme chien et chat**. Ils ne sont jamais d'accord!*
un mal de chien = des difficultés *J'ai **un mal de chien** à lui expliquer le problème de mathématiques le plus facile!*
une vie de chien = une vie difficile *Le pauvre! Il est seul au monde. Il n'a pas de travail! Il n'a pas d'amis. Il a **une vie de chien**.*
passer du coq à l'âne (fam.) = passer très vite d'un sujet à un autre *Elle parle de son travail, et puis tout d'un coup elle nous raconte ses vacances de l'année dernière. Elle fait toujours ça, elle **passe du coq à l'âne**.*
avoir une mémoire d'éléphant = avoir une bonne mémoire *Elle peut apprendre par cœur des centaines de poésies, elle **a une mémoire d'éléphant**.*
avoir une faim de loup = avoir très faim *Il faut absolument que je mange quelque chose, **j'ai une faim de loup**.*
marcher à pas de loup = marcher sans faire de bruit *Il est rentré chez lui **à pas de loup**. Il était trois heures du matin et il ne voulait pas réveiller ses parents.*
revenir à ses moutons (fam.) = revenir à son sujet *– Il fait très chaud aujourd'hui, j'ai bu trois verres d'eau et j'ai encore soif. – C'est vrai, il fait très chaud, mais nous sommes ici pour parler de nos affaires, alors **revenons à nos moutons**.*
avoir la chair de poule = avoir froid, ou avoir peur **donner la chair de poule** = faire peur *Cette maison est loin de toutes les autres maisons, à la campagne. Elle est grande et il n'y a pas de lumière. Je n'aimerais pas habiter dans cette maison, elle me **donne la chair de poule**.*
quand les poules auront des dents (fam.) = jamais *Je comprendrai ce problème de mathématiques **quand les poules auront des dents**.*
une peau de vache (fam.) = une personne méchante *Notre directeur est une vraie **peau de vache**. Il nous donne du travail à six heures du soir, et il nous demande de le finir le soir même.*
une langue de vipère (fam.) = une personne qui dit du mal *Fais attention. Ne parle pas avec elle, ne lui dis rien, c'est **une langue de vipère**, elle dit du mal de tout le monde.*

On apprend par cœur !

Quand les animaux parlent...

Il aura *une mémoire d'éléphant*
Quand les poules auront des dents !

Il fait *un froid de canard* !
Mets ton foulard !

Ils sont *comme chien et chat.*
« *C'est à moi ! Non, c'est le mien !* »
Quelle vie de chien !

J'ai *un chat dans la gorge*
Et j'ai *la chair de poule* !

Il est *doux comme un agneau*
Et en plus il est beau !

J'ai *une faim de loup,*
Entrons là *à pas de loup*
Et mangeons tout !

Des *peaux de vache*
et des *langues de vipère,*
Il y en a sur la terre !

Minou, minou, minou...
Il faut *appeler un chat un chat,*
Mais ce n'est pas tout !

Quand les poules auront des dents !

Il fait un froid de canard !

C'est une peau de vache !

Elle a une langue de vipère !

4 • Les couleurs

Les expressions figurées utilisent également des termes qui appartiennent au monde des couleurs.

Nuit blanche dans un hôpital

1 Dans le couloir d'un hôpital, un médecin rencontre une jeune interne*.

Le médecin – *Qu'est-ce qui se passe ? Vous êtes blanche comme un linge ! Vous avez eu peur ?*

La jeune interne – *Oui, j'ai eu une peur bleue. J'étais dans l'ascen-*
5 *seur et, patatras ! il s'est arrêté entre le neuvième et le dixième étage. Il n'y avait plus de lumière et je suis restée dans le noir pendant un quart d'heure. Je déteste ça.*

Le médecin – *Ah, cet ascenseur ! Il tombe toujours en panne. Mais revenons à nos moutons. Comment va le malade de la chambre 34 ?*

10 **La jeune interne** – *J'ai passé une nuit blanche avec lui. Il nous en fait voir de toutes les couleurs. Il va assez bien, mais il n'est content de rien. Il ne veut pas prendre les médicaments génériques, il veut « le médicament avec une marque ». On lui dit que c'est bonnet blanc et blanc bonnet, que c'est exactement la même chose, il*
15 *ne nous croit pas. En plus, il dit qu'il est la bête noire de l'hôpital. Il pense que tout le monde le déteste. Il a des idées noires, il est pessimiste.*

Le médecin – *Bon, je passerai le voir. Et la jeune femme de la chambre 30 ?*

La jeune interne – *Oh, elle, elle est adorable. Elle nous donne carte*
20 *blanche pour son traitement. Elle a confiance en nous. Et elle voit la vie en rose. Elle pense que tout ira bien. Elle est optimiste et sentimentale aussi. Elle est très fleur bleue, elle parle toujours d'amour. Est-ce qu'on commence son nouveau traitement ?*

Le médecin – *Oui, on le commence, je vous donne le feu vert. Et après,*
25 *allez vous mettre au vert un jour ou deux. Allez à la campagne, lisez, faites de la cuisine, on dit que vous êtes un vrai cordon bleu, ou ne faites rien, mais reposez-vous et revenez vite.*

---

l. 1 : un(e) interne = un(e) étudiant(e) en médecine qui, après un examen, travaille et habite dans un hôpital.

On récapitule

c'est blanc bonnet et bonnet blanc (fam.) = c'est pareil, c'est la même chose
*Ces deux hommes politiques disent qu'ils sont de deux partis différents, mais je pense qu'ils ont exactement le même programme, c'est **blanc bonnet et bonnet blanc**.*

être blanc comme un linge = blanc de peur
*Est-ce que tu as vu un fantôme ? Tu as eu peur ? **Tu es blanc comme un linge**.*

donner carte blanche **à quelqu'un** = le laisser libre de faire comme il veut
*Le directeur **a donné carte blanche** à l'architecte pour commencer la construction de la nouvelle usine.*

passer une nuit blanche = passer une nuit sans sommeil, sans dormir
*Pour terminer ce travail, **j'ai passé** plusieurs **nuits blanches**. Je n'ai pas dormi.*

être un cordon bleu = être une très bonne cuisinière
*Tout le monde veut manger chez elle. On dit que c'est une très bonne cuisinière, un **cordon bleu**.*

être fleur bleue = être sentimental(e)

*Elle est très **fleur bleue**.*
Elle rêve au prince charmant.
Elle croit que l'amour dure toujours...

avoir une peur bleue (fam.) = avoir très peur
*Quand j'ai vu le gros chien venir vers moi, **j'ai eu une peur bleue**.*

être la bête noire = être la personne que personne n'aime
*Personne n'aime ce professeur. C'est **la bête noire** des lycéens.*

avoir des idées noires = être triste
*Va le voir, sors avec lui, allez au cinéma, à la piscine, il faut rester avec lui, **il a des idées noires**.*

voir la vie en rose = être optimiste
*Quand elle est amoureuse, **elle voit la vie en rose**.*

> **donner le feu vert** (fam.) = donner la liberté de faire, donner la permission d'agir
> *Nous voulons jouer une pièce de théâtre à la fin de l'année au lycée et le proviseur du lycée nous **a donné le feu vert**.*

> **se mettre au vert** (fam.) = prendre du repos à la campagne
> *Je suis fatigué, j'ai beaucoup travaillé, je vais **me mettre au vert** quelques jours, je vais dans la maison de campagne de mes amis.*

> **en faire voir de toutes les couleurs** (fam.) = faire vivre des choses désagréables
> *Cet enfant nous **en fait voir de toutes les couleurs**. Il est désobéissant, paresseux et agressif.*

On apprend par cœur !

Blancs les nuages, noires les idées !

Blancs, blancs, les nuages
Et blanc le linge et le visage,
Blanc comme un linge !
Noirs, les oiseaux de passage
Et noires les idées !
Idées noires !
Noires comme la nuit !
Mais blanche aussi la nuit !
Nuit blanche...

Blanc le bonnet !
Mais bleue la peur
Et bleue la fleur !
Fleur bleue, peur bleue !
Rose la fleur
Mais rose aussi la vie !
Ah ! La vie en rose !
Verte la feuille
Et vert le feu !
Feu vert !

5 • Les chiffres

Les expressions figurées, souvent familières, utilisent également les chiffres.

Au commissariat

1　Un homme **tiré à quatre épingles** vient faire une déposition*.

L'homme tiré à quatre épingles – *Ce matin, je sortais de la banque et tout à coup, en moins de deux, deux hommes m'ont poussé et ont pris mon portefeuille. Je les ai reconnus, ce sont mes voisins, j'en*

5　*suis sûr comme deux et deux font quatre. Vous savez, ces deux-là font la paire, ils font toujours les quatre cents coups. Je suis tombé par terre et j'ai vu trente-six chandelles. Alors, je n'ai fait ni une ni deux, je suis venu, j'ai monté votre escalier quatre à quatre pour faire ma déposition. J'ai fait les cent pas dans votre couloir et*

10　*maintenant j'aimerais bien dire leurs quatre vérités à mes voisins. Alors vous allez les arrêter ? On a déjà essayé de me voler deux fois et, comme on dit, jamais deux sans trois.*

Le commissaire – *Allons, calmez-vous et donnez-moi votre nom, votre adresse, s'il vous plaît.*

15　**Un autre homme entre dans le commissariat** – *Bonjour M'sieur dames. Je viens apporter un portefeuille que j'ai trouvé ce matin dans la rue, devant une banque.*

L'homme tiré à quatre épingles – *Mais c'est mon portefeuille ! Donnez-le moi ! Oui, oui, tout y est ! Ouf !*

20　**Le commissaire** – *Attendez, attendez ! Alors vos voleurs, où sont-ils ?*

L'homme qui a rapporté le portefeuille – *Mais il n'y a pas de voleurs ! Je suis chauffeur de taxi et j'ai vu ce monsieur tomber dans la rue. Quelqu'un l'a peut-être poussé, je ne sais pas. Il s'est relevé et il est parti en courant. Moi, j'ai vu le portefeuille par terre.*

25　*Je l'ai ramassé, et voilà. J'ai trouvé son adresse et je suis allé chez lui, mais il n'y avait personne, alors je l'ai apporté ici.*

Le commissaire – *Monsieur, vous devez remercier cet homme. Il s'est mis en quatre pour vous rendre votre portefeuille. Vous devez apprendre à tourner sept fois votre langue dans la bouche avant*

30　*de dire quelque chose, maintenant !*

Le chauffeur de taxi – *Allez, au revoir messieurs dames, à un de ces quatre !*

l. 1 : une déposition = la déclaration d'un témoin, d'une personne qui a assisté a quelque chose.

en moins de deux (fam.) = très rapidement
*Je lui ai demandé de me prêter de l'argent, et **en moins de deux**, il a sorti son portefeuille et il m'a donné ce que je voulais.*

comme deux et deux font quatre (fam.) = sûr, certain
*Ils sont amoureux l'un de l'autre, j'en suis sûr, **comme deux et deux font quatre**.*

les deux font la paire = *les deux sont pareils*
*Pierre et Jean ? Ah ! ces **deux-là font la paire**. Ils font les mêmes bêtises…*

jamais deux sans trois = c'est déjà arrivé deux fois, cela arrivera encore une troisième fois
*Des voleurs sont entrés chez moi deux fois, et comme on dit, **jamais deux sans trois**…*

ni une ni deux (fam.) = sans hésiter, très vite
*Il a vu la vieille dame tomber. Il n'a fait **ni une ni deux**, il est descendu de sa voiture pour l'aider.*

quatre à quatre = rapidement

*J'étais pressée, j'ai monté l'escalier **quatre à quatre**.*

dire ses quatre vérités à quelqu'un (fam.) = dire ce qu'on pense de lui
*J'aimerais bien **dire ses quatre vérités** à mon patron, lui dire qu'il n'est pas généreux…*

se mettre en quatre (fam.) = se donner du mal
*Quand elle invite ses amis à dîner, elle **se met en quatre** pour faire un dîner extraordinaire.*

un de ces quatre (fam.) = un jour plus ou moins proche
***Un de ces quatre**, j'irai le voir et je lui dirai ses quatre vérités.*

être tiré à quatre épingles = être habillé avec beaucoup de soin

*Le jour du mariage, elle était **tirée à quatre épingles**.*

tourner sept fois sa langue dans sa bouche = prendre le temps de réfléchir avant de parler
*Il ne faut pas parler trop vite, il faut réfléchir avant, il faut **tourner sept fois sa langue dans sa bouche** avant de dire ce qu'on pense.*

voir trente-six chandelles (fam.)
= être étourdi par un coup, avoir la tête qui tourne

*Il est tombé de bicyclette. Il n'avait pas de casque et il **a vu trente-six chandelles**.*

faire les cent pas = aller et venir
*Les étudiants attendent les résultats de leur examen. Ils **font les cent pas** dans le couloir.*

faire les quatre cents coups = avoir une vie agitée et désordonnée
*Il **a fait les quatre cents coups** quand il était jeune. Il n'allait pas en classe, il prenait de l'argent dans le portefeuille de sa mère pour aller au cinéma...*

On apprend par cœur !

Histoire de chiffres

*Parfois ils **font les quatre cents coups** !*
Luc et son copain Jean-Loup
*Ah oui, ils **font la paire** !*
Ils ont le même vocabulaire.
*Comme **deux et deux font quatre***
C'est le même théâtre !
Mais ils sont généreux ;
En moins de deux,
Ils ne font ni une ni deux
*Ils se **mettent en quatre** pour leurs amis !*
Oui, ils sont gentils
Et ils sont francs,
Toujours contents
*De **dire à chacun ses quatre vérités**.*
Ils sont en bonne santé,
*Il faut les voir monter **quatre à quatre** l'escalier.*

3 QUAND ON PARLE DANS LA RUE...

1 • Les emprunts

La langue française prend des mots d'autres langues, des mots d'anglais par exemple...
Casting, jogging, dressing...

Une future star

1 *Aujourd'hui est un grand jour pour Marie. Elle va faire du cinéma.*
Elle a passé un casting la semaine dernière et on l'a choisie pour un
rôle important dans un film.

Ce matin, après son jogging, elle prend sa douche. D'abord un bon
5 *shampooing pour avoir les cheveux bien brillants. Puis, elle s'habille ;*
dans son dressing, elle cherche une jupe blanche. Où est-elle ? Au
pressing. Alors, elle choisit un jean et un tee-shirt blanc, des boots en
cuir. Elle se maquille, de l'eye-liner noir pour les yeux, un peu de
blush sur les joues. Pendant tout ce temps, elle écoute de la musique.
10 *Du jazz, du rap, du rock. Elle aime tout. Elle prend son petit déjeuner.*
Des corn-flakes et une tasse de café.

Dans le métro, elle a son walkman, elle continue à écouter de la
musique. Elle achète un paquet de chewing-gums. Elle est nerveuse et
les chewing-gums la calment. Elle va jouer le rôle* d'une baby-sitter
15 *qui fait un kidnapping. Une jeune fille qui a l'air douce et qui est*
méchante. Elle est contente de jouer. Le script du film est tiré d'un livre
qui a eu un très grand succès, un best-seller. Au studio, tout le monde
l'attend. Le metteur en scène, les cameramans, les techniciens. Le
décor du film est simple. C'est un décor de la vie ordinaire. Des murs
20 *avec des tags, un café ; des gens qui jouent au baby-foot dans le café.*

Elle tourne* toute la matinée. Les autres acteurs sont très connus, ce
sont des stars. Ils donnent des interviews à des journalistes. Ils se
maquillent et ils se reposent dans des camping-cars. Elle est très
timide devant eux. À midi, ils déjeunent ensemble. Elle mange un hot-
25 *dog avec du ketchup et des chips.*

Que deviendra ce film ? Il passera dans des salles où des gens mange-
ront du pop-corn, où des gens riront peut-être, pleureront peut-être...

l. 14 : jouer le rôle = représenter un personnage.
l. 21 : elle tourne (tourner un film) = elle fait le film.

On récapitule

Certains mots anglais sont utilisés fréquemment dans la langue française.

le baby-foot (invariable) = football de table *Les enfants et les adolescents adorent jouer au **baby-foot**, ils adorent faire tourner les petites figurines en bois, bleues ou rouges qui sont comme des footballeurs.*
un(e) baby-sitter = une personne qui garde les enfants quand les parents travaillent et qui est payée *La plupart des jeunes étudiantes étrangères qui vivent à Paris sont **baby-sitters** chez des Français.*
un best-seller = un livre qui a obtenu un grand succès en librairie, et qui s'est bien vendu Harry Potter *est **un best-seller**.*
le blush = un fard à joue sec *Quand elle sort, elle met un peu de **blush** sur ses joues pâles.*
une paire de boots = bottes courtes de ville, chaussures qui montent à la cheville, pour hommes ou pour femmes *Cet hiver, les **boots** sont très à la mode et tout le monde en porte.*
le caméraman = l'homme qui tient la caméra de cinéma ou de télévision et qui filme *Le metteur en scène montre au **cameraman** la place où il doit se mettre.*
le camping-car = voiture camionnette aménagée pour le camping *Chaque été, ils partent en vacances en **camping-car**.*
le casting = sélection des acteurs et des figurants pour un spectacle, un film (on peut dire en français distribution) *Le metteur en scène va choisir l'actrice qui va jouer le rôle principal. Plusieurs actrices vont faire le **casting**.*
le chewing-gum = de la gomme à mâcher *Ce n'est pas très élégant de mâcher du **chewing-gum** quand on est en réunion.*
les chips = pommes de terre frites en minces rondelles *Pour l'apéritif, elle avait posé sur la table des cacahouètes, des olives, des **chips** et une bouteille de porto.*
des corn-flakes = flocons de maïs grillé *Tous les matins, les enfants mangent des **corn-flakes** avec du lait.*
le dressing = petite pièce près de la chambre à coucher pour les vêtements *Après ma douche, je vais dans le **dressing** chercher les vêtements que je vais mettre.*
l'eye-liner = maquillage noir tracé autour des yeux *Je ne mets plus d'**eye-liner**. Je fais une allergie au maquillage des yeux.*
un hot-dog = saucisse de Francfort dans un petit pain *Elle a mis de la moutarde et du ketchup sur son **hot-dog** et elle l'a mangé.*
une interview = rencontre entre un journaliste et une personne qu'il interroge *Le 14 Juillet, le président de la République française accorde une **interview** aux journalistes français.*
le jazz = musique composée par les Noirs d'Amérique *Louis Amstrong, Miles Davis, Ella Fitzgerald, Bill Evans, John Coltrane... sont tous de merveilleux musiciens de **jazz**.*

le jean = pantalon de toile très solide
*Elle ne met jamais de robe. Elle ne porte que des **jeans**. Elle dit que c'est plus confortable.*

le jogging = course à pied, pas très rapide. Survêtement
*Tous les matins, il fait du **jogging** au Champ-de-Mars.*

le ketchup = sauce à base de tomates
*Il met du **ketchup** sur tous les aliments, sur les pâtes, sur la viande, sur le poisson…*

le kidnapping = le fait d'enlever, de prendre une personne pour obtenir de l'argent
*Un des **kidnappings** les plus dramatiques est celui du bébé de Charles Lindbergh*
dans les années vingt.

un match = rencontre sportive entre deux ou plusieurs personnes, entre deux équipes
*Le **match** de rugby France-Angleterre sera un événement sportif.*

le pop-corn = grains de maïs soufflés sucrés ou salés
*Les spectateurs de cinéma mangent du **pop-corn** pendant le film.*

le pressing = une blanchisserie-teinturerie
*N'oublie pas de porter mon costume au **pressing** !*

le rap = musique disco très rythmée
*Le **rap**, on peut ne pas aimer.*

le rock = musique populaire américaine qui vient du jazz, c'est aussi une danse
*Ils participent à des concours de **rock**. Ils adorent danser, faire des figures acrobatiques…*

le script = scénario d'un film contenant les dialogues

*L'actrice a lu le **script** pour apprendre son rôle.*

le shampoing = produit pour le lavage des cheveux, lavage des cheveux
*Elle se fait un **shampoing** tous les jours. Elle se lave les cheveux tous les jours.*

une star = une célèbre vedette de cinéma
*Marylin Monroe est une **star** des années cinquante.*

un tag = signes tracés sur les murs des immeubles

*Les auteurs de tags doivent effacer les **tags***
qu'ils ont faits sur les murs.

un tee-shirt = maillot de coton à manches courtes ou longues	

un tee-shirt = maillot de coton à manches courtes ou longues
*Il fait très chaud, elle ne porte qu'un **tee-shirt** à manches courtes.*

un walkman = un appareil portatif qui sert à écouter de la musique
*Aujourd'hui, le mot « baladeur » remplace le mot anglais **walkman**.*

On apprend par cœur !

Préparatifs

*Où est mon **jogging**?*
*Dans le **dressing**?*
*Au **pressing**?*
*C'est pour le **casting**!*
*Attention, pas d'**eye-liner***
*Pour une **baby-sitter**!*

Chanson rap

*Tu manges du **pop-corn***
*Et des **hot-dogs***
*Tu danses le **rock***
*Tu fais la **star***
*Tu chantes du **rap***
*Tu dessines des **tags***
*Tu vas au **match***
*Tu mets un **jean***
*Tu croques des **chips***
*Tu mets des **boots***
*Tu joues au **baby-foot***

Et on recommence!

2 • Les abréviations

La langue des jeunes, la langue familière utilise beaucoup les abréviations.
Resto, frigo, topo...

Discussion entre ados

1 Deux lycéens, Julien et Sabine, discutent :

Julien – *Tu as fait ton devoir de maths ? Moi, je ne l'ai pas fait. Je n'ai rien compris. Le prof va être furieux. Tu es bonne en maths, toi, tu pourras m'aider à le faire, cet aprèm ? Allez, sois sympa ! On n'a*
5 *pas cours. Mes parents ne sont pas là, et on aura l'appart pour nous seuls.*

Sabine – *Tu devrais prendre des cours de maths. Comment tu vas faire au bac ? J'ai vu une pub pour des cours particuliers. « Chez nous, c'est du bac à la fac ! » Est-ce que tu travailles assez ? Tu*
10 *passes ton temps entre la télé et le frigo, et tu es complètement accro aux jeux vidéo.*

Julien – *Tu oublies le ciné et la gym ; ah ! et il y a aussi les manifs. Tu n'es pas venue à la manif de lundi, pour la réforme de l'enseignement. Il y avait les lycéens, les étudiants, les profs et même les*
15 *parents. Il y avait des hommes politiques, les écolos. C'était super.*

Sabine – *Tu ne sais pas que j'étais à l'hosto ? J'étais en retard et je courais. Je suis tombée dans l'escalier du métro. J'avais très mal. Les pompiers sont arrivés, le SAMU aussi, et ils m'ont amenée à l'hôpital. On m'a fait des radios, et je suis restée là pendant deux*
20 *jours. Tu vois le topo. Et en plus, j'ai perdu mon dico d'anglais. Il n'est ni au labo, ni chez moi. Il est peut-être encore dans le métro.*

Julien – *Allez je t'emmène au resto, au McDo à midi. Et cet aprèm, on ira voir une expo ou on ira au ciné. À la Convention, il y a la clim dans les salles et c'est très bien.*

25 **Sabine** – *Ça ne va pas ! Je ne vais pas au cinéma pour la clim, je vais voir un film. Qu'est-ce qui passe en ce moment ?*

Julien – *Il y a un film sur des ados de banlieue qui répètent une pièce de Marivaux.*

Sabine – *Ah oui, ce n'est pas mal, je crois, mais tu oublies quelque*
30 *chose... les maths !...*

On récapitule

Les abrègements des mots sont généralement familiers. Deux types d'abrègements :

1. On coupe le mot ; on enlève une ou plusieurs syllabes à la fin du mot ;

2. On abrège en remplaçant la fin du mot par la lettre « o ».

■ On enlève une ou plusieurs syllabes.

l'appart = l'appartement *J'ai loué un petit **appart** dans le quartier de la Bastille.*
l'aprèm = l'après-midi *Qu'est-ce que tu fais cet **aprèm**, tu veux aller au ciné ?*
le bac = le baccalauréat (examen de la fin des études secondaires au lycée) *Je suis très contente, j'ai réussi au **bac**, je vais entrer à l'université.*
le ciné = le cinéma *Tu veux aller au **ciné** ?*
la clim = la climatisation *La **clim**, c'est à la fois très agréable quand il fait très chaud, mais très désagréable quand elle est mal réglée.*
une expo = une exposition *Tout le monde va voir l'**expo** Picasso.*
la fac = la faculté *Après le bac, j'irai à la **fac** de lettres.*
la gym = la gymnastique *Je déteste la **gym**. C'est très fatigant.*
la manif = la manifestation *Les écolos organisent une **manif** contre les centrales nucléaires.*
les maths = les mathématiques *Je suis très mauvaise en **maths**.*
le prof = le professeur *Mon **prof** de maths est très sympa. Il m'aide à faire des exercices très difficiles.*
la pub = la publicité *Il y a trop de **pubs** à la télé.*
super = supérieur *Il est **super**. Je l'aime beaucoup.*
sympa = sympathique *Mon prof d'anglais n'est pas **sympa**. Il parle trop vite, il ne répète pas et il est très sévère.*
la télé = la télévision *Il y a de très mauvaises émissions à la **télé**.*

IIII ■ 3. QUAND ON PARLE DANS LA RUE... • 2. LES ABRÉVIATIONS

■ On abrège en remplaçant la fin du mot par la lettre « o ».

être accro = être accroché, être passionné
*Tous les enfants d'aujourd'hui sont **accros** aux jeux vidéo.*

---

un(e) ado = un(e) adolescent(e)
*Les **ados** ont une mode bien à eux. Ils portent leur pantalon d'une certaine façon,
ils se coiffent d'une certaine façon…*

---

un dico = un dictionnaire
*Tu peux me prêter ton **dico** d'allemand, je cherche un mot que je ne connais pas.*

---

un écolo = un écologiste
*Le parti **écolo** a gagné les élections à la mairie.*

---

un frigo (fam.) = pour réfrigérateur, frigidaire
*Est-ce qu'il y a quelque chose à manger dans le **frigo** ?*

---

un hosto = un hôpital
*Je vais passer quelques jours à l'**hosto**. Je me fais opérer.*

le labo = le laboratoire de langues
ou un laboratoire médical.

*Les élèves passent plusieurs heures
par semaine au **labo** de langues.*

---

le métro = le métropolitain
*Elle prend tous les jours le **métro** pour aller à son travail.*

---

une radio = une radiographie

*Avant l'opération, on m'a fait plusieurs **radios**.*

---

un resto = un restaurant
*Nous déjeunons au **resto** universitaire.*

le topo = la topographie (discours, exposé)

*Je vais faire une présentation rapide,
un **topo** de l'état du malade.*

On apprend par cœur !

Le monde d'aujourd'hui

Une ado
Accro
Au frigo,
Au McDo.
Tu vois le topo,
A dit le prof
À l'écolo !
C'est le monde d'aujourd'hui.

Le bac
La fac
Les maths
L'appart
C'est super
C'est sympa
C'est le monde d'aujourd'hui.

La télé
Le ciné
La gym
La clim
Les manifs
Le resto
Le métro
C'est le monde d'aujourd'hui.

3 • Les sigles

■ FLE, DALF, TGV, ...

Grève à la RATP

1 *Il est huit heures du matin. Une foule de gens va vers le métro. Mais, catastrophe, il n'y a pas de métro.*

Est-ce que la RATP est encore en grève ?

Un étudiante en FLE est très ennuyée : C'est le jour où elle passe son
5   examen de DALF.

Une étudiante en histoire est en colère – *Je passe le CAPES aujour-d'hui, j'ai travaillé toute l'année. Je dois être dans la salle d'exa-men à 9 heures précises.*

Les gens ne sont pas contents. Pourquoi cette grève ?

10 Quelqu'un crie – *Moi, je gagne seulement le SMIC, j'habite dans une HLM et je ne suis pas en grève, je dois travailler !*

Un autre lit tranquillement une BD sur un banc de la station.

Il dit – *Vous verrez, la grève n'est pas totale, il y aura des métros, attendez.*

15 Quelqu'un demande – *Est-ce que le RER est aussi en grève ?*

Un autre – *Et la SNCF ? Je vais à la gare du Nord, je pars pour Bruxel-les aujourd'hui, je prends le TGV.*

Un autre annonce – *Vous allez voir que la grève sera générale. Et EDF et GDF aussi seront en grève. Ce sera comme en 1995. On ne pourra*
20   *plus circuler.*

Quelqu'un crie – *Eh ! il y a un match ce soir au parc des Princes. PSG contre l'OM. Comment on va faire pour y aller ?*

Une personne réfléchit tout haut – *C'est sûr, les partis politiques vont faire quelque chose, le PC, le PS et les autres...*

25 *Puis, soudain, on entend une voix dans un haut-parleur qui dit :
« Nous vous prions de nous excuser pour cet incident technique, le
trafic reprend. »*

On récapitule

Le sigle est une suite de lettres initiales (écrites généralement en majuscules) de plusieurs mots et qui forment un mot unique.

BD = la bande dessinée.
*Les bandes dessinées, les **BD** les plus célèbres en France sont* Tintin *et* Astérix.

---

le CAPES = (on prononce ce sigle comme un nom, le Capes) certificat d'aptitude de l'enseignement secondaire. Ce diplôme donne un poste dans l'enseignement secondaire.
*Elle a réussi au **CAPES** d'histoire. Elle pourra enseigner dans un lycée. Elle est capétienne.*

---

le DALF (on le prononce comme un nom : le Dalf) = diplôme approfondi de langue française.
Il permet aux étudiants étrangers de suivre les cours d'une université française ou francophone.
*Elle a passé le **DALF** et elle a réussi. Elle suivra des cours de littérature à la Sorbonne.*

EDF/GDF (on prononce toutes les lettres) = Électricité de France/Gaz de France.
*Je dois payer mon abonnement à **EDF** et à **GDF**.*

---

le FLE (on le prononce comme un nom) = Français langue étrangère.
*Elle prépare une maîtrise de **FLE** à Paris IV.*
Ensuite, elle pourra enseigner le français à des étudiants étrangers.

---

une HLM = habitation à loyer modéré. Immeuble construit par une collectivité pour des personnes qui ont de faibles revenus. Ce sont des immeubles qui ont des appartements bon marché.

*Elle vient enfin de recevoir un appartement de cinq pièces dans une **HLM***

---

l'OM = l'Olympique de Marseille. C'est l'équipe de football de Marseille.
le PSG = le Paris Saint-Germain. C'est l'équipe de football de Paris.
*On va voir le match **OM/PSG** ce soir au parc des Princes, à Paris. J'ai un peu peur, parce que les supporters des deux équipes sont souvent agressifs.*

---

le PC (F) = le parti communiste (français).
*L'Humanité est le journal du **PC***

---

le PS = le parti socialiste
*Le **PS** est soit au gouvernement, soit dans l'opposition.*

---

la RATP = la régie autonome des transports parisiens
*Les bus, le métro, le RER font partie de la **RATP***

le **RER** = le réseau express régional (Paris et région parisienne)

Le RER est en grève aujourd'hui et les gens qui habitent la banlieue, les banlieusards, ne peuvent pas aller à leur travail à Paris.

la **SNCF** = la société nationale des chemins de fer français
La SNCF propose des prix très intéressants aux personnes âgées, aux jeunes, aux couples.

le **SMIC** = (on le prononce comme un nom) le salaire minimum interprofessionnel de croissance (c'est le salaire le plus bas autorisé par la loi)
Il était au chômage et il a accepté un petit emploi très mal payé, payé au SMIC.

le **TGV** = le train à grande vitesse
C'est extraordinaire. Avec le TGV Paris-Marseille, je peux partir à sept heures et demie du matin et être à Marseille trois heures après !

On apprend par cœur !

La ronde des Sigles

DALF
SNCF
EDF-GDF !

RER
RATP

PC
PS !

PSG !
BD
TGV !

CAPES
SMIC
HLM
OM !

FLE !

182

4 • Les interjections, les onomatopées

La langue française est riche en interjections et onomatopées.
Hum, hum ! Euh !...

1 Oh là là, quels clients !

Dans un magasin de meubles, vaisselle, lampes…

Le vendeur – *Hum, hum, bonjour, je peux vous aider ?*

Le jeune homme – *Euh, non, pas tout de suite, merci, nous regardons seulement.*

5

La jeune femme – *Ouah ! Chéri, regarde ce fauteuil. Il est vraiment super.*

Le jeune homme – *Tu crois ? Attends, je vais l'essayer. Je vais voir si on est bien dans ce fauteuil. Atchoum ! Bon je m'enrhume. Le maga-*
10 *sin est climatisé. Je crois que je vais m'endormir dans ce fauteuil. Il est très confortable. Mais, ouille, ouille, ouille, aïe, aïe, aïe, tu as vu le prix ?*

La jeune femme – *Oh ! regarde ce tapis rouge en forme de cœur !*

Le jeune homme – *Beurk, beurk ! Il est affreux.*

15 **La jeune femme** – *Et cette lampe ? Mince ! Boum ! Elle est tombée.*

Le vendeur – *Hé, faites attention, s'il vous plaît !*

La jeune femme – *Bah, je n'ai rien cassé !*

Le vendeur – *Oui, mais faites attention ! C'est fragile.*

Le jeune homme – *Oh là là, quelle histoire pour une lampe !*

20 **Le vendeur** – *Mais enfin, je vous demande seulement de faire atten-tion, de ne rien casser.*

La jeune femme (*à voix basse*) – *Et bla bla bla… et bla bla bla.*

Le jeune homme – *Chut… il va t'entendre. La vache ! Tu as vu le prix de cette assiette ? Tiens ! Regarde !*

La jeune femme – *Eh ben ! Elle doit être en or !*

25 **Le jeune homme** – *Mon œil, elle est en cuivre oui ! Allez, on s'en va ! Ce magasin n'est pas pour nous.*

Le vendeur – *Ouf ! Ils sont partis !*

On récapitule

Aïe, aïe, aïe ou **ouille, ouille, ouille** interjection qui exprime la douleur ou une surprise désagréable. *Dans le métro à six heures du soir. **Aïe, aïe, aïe, ouille, ouille, ouille**, vous me faites mal !* *J'ai votre bras dans mon ventre et vos pieds sur mes pieds !*
Atchoum ! interjection = bruit produit par un éternuement. On fait sortir l'air par le nez avec du bruit. *– **Atchoum !*** *– Voilà, tu t'enrhumes ! C'est normal, tu es sorti sous la pluie sans parapluie !*
Bah ! interjection qui exprime l'indifférence = **bof !** *– Qu'est-ce que tu penses de ce film ?* *– **Bah, bof**, pas extraordinaire, pas terrible !*
Beurk ou **berk !** interjection qui exprime le dégoût *Un steak tartare ! **Beurk, beurk**, je déteste la viande crue, pas cuite.*
Bla bla bla et bla bla bla (fam.) onomatopée qui imite un bavardage inutile *Elle parle, elle parle, quelle bavarde !* *Et **bla, bla, bla**, et **bla, bla, bla**…*
Boum ! interjection qui imite le bruit de ce qui tombe *– **Boum !*** *– Qu'est-ce que tu as fait tomber ? Le vase ?* *– Euh… !*
Chut ! onomatopée qu'on utilise quand on demande le silence *– **Chut**, le bébé vient de s'endormir.*
Eh bien ! ou **Eh ben !** (fam.) interjection qui marque la surprise ou l'admiration ou l'admiration ironique *– Tu as réussi au bac ! **Eh bien !*** *– Pourquoi tu dis « eh bien » ? Tu ne pensais pas que je pourrais réussir ?* *– Mais non, mais non, c'est de l'admiration !*
Euh ! interjection qui marque l'hésitation, le doute, l'embarras. On l'utilise aussi quand on ne connaît pas la réponse et qu'on cherche un mot *– Jean-Pierre, donnez-moi les dates de la Première Guerre mondiale.* *– **Euh**…*
Hé ou **Eh !** interjection qu'on utilise pour appeler quelqu'un *Hé ! vous là-bas ! oui, vous ! qu'est-ce que vous faites dans ma voiture ?*
Hum ! interjection qui exprime le doute ou qu'on utilise pour attirer l'attention de quelqu'un *– Est-ce que tu as compris ?* *– Oui, oui !* *– **Hum**…*
Mince ! exclamation d'étonnement, de surprise = flûte, zut ! ***Mince !** J'ai oublié de l'inviter à mon mariage !*
Mon œil (fam.) marque le refus = tu crois ça, eh bien non, ce n'est pas du tout ça ! *– On va acheter un billet de loto et on va gagner le gros lot.* *– **Mon œil !** Tu crois ça ?*

Oh ! interjection qui marque la surprise, l'admiration ou un autre sentiment ***Oh ! Que tu es belle !***
Ouah ! interjection qui exprime la joie, l'admiration *Au château de Versailles : « **Ouah**, chéri, tu as vu la galerie des Glaces ? »*
Oh là là ! interjection qui marque le renforcement ***Oh là là ! Je suis en retard !***
Ouf ! interjection qui marque le soulagement. On respire. ***Ouf ! Les invités sont partis. Je croyais qu'ils ne partiraient jamais !***
Tiens ! (impératif du verbe tenir) on présente, on montre quelque chose ou on marque l'étonnement. ***Tiens ! Ce n'est pas Annie ? Je croyais qu'elle était en Angleterre.***
La vache (fam.) exclamation qui exprime l'étonnement, l'admiration, la colère *– Tu sais que Jean-Pierre a gagné le gros lot au loto ?* *– Non, c'est vrai ? **La vache !***

On apprend par cœur !

Conversation dans un jardin public

Une baby-sitter et son amoureux.

– *Atchoum !*

– *Aïe, aïe, aïe ! Mon amour, tu t'enrhumes ?*

– *Bah, ce n'est rien ! Atchoum !*

– *Chut, arrête, tu vas réveiller le bébé !*

– *Atchoum !*

– *Tiens, ça recommence !*

– *Atchoum !*

– *Beurk ! Tu n'as pas de mouchoir ?*

– *Euh… ! non ! Tu n'en as pas, toi ?*

– *Mince alors, tu sors sans mouchoir ? Tiens !*

– *Oh ! des mouchoirs en papier rose et bleu, et avec des fleurs, **ouah** !*
Atchoum !

– ***La vache**, tu ne peux pas arrêter ? Ça commence à être fatigant.*
Tu devrais rentrer chez toi !

– *Et **bla bla bla** et **bla bla bla** !*

– *Tu m'énerves ! **Boum** ! Voilà, à cause de toi, j'ai fait tomber*
le biberon du petit !

– ***Mon œil**, ce n'est pas à cause de moi ! Atchoum !*
Bon, bon, je m'en vais, allez ! Salut ! À demain ?

– *Peut-être ! **Ouf** ! Il est parti !*

5 • Les cris des animaux

■ Cocorico !

Paroles d'animaux

1 *Quel homme des villes d'aujourd'hui a une bonne connaissance des animaux et de leur langage ?*

Est-ce qu'il sait qu'une vache dans son étable peut meugler, ou beugler et que son beuglement attire le mugissement du taureau ?

5 *Est-ce qu'il sait qu'un cheval dans son écurie ou dans le pré hennit et que son hennissement salue l'arrivée de sa nourriture ?*

Et les poules qui caquètent dans le poulailler, et les canards qui cancanent, les moutons et les agneaux qui bêlent dans la bergerie, l'âne qui brait, tous ces animaux ne parlent pas aux gens des villes...

10 *Les gens des villes entendent peut-être le loup qui hurle dans les forêts et le lion qui rugit dans la savane*. Le hurlement du loup et le rugissement du lion accompagnent parfois leurs rêves ou leurs cauchemars*.*

Ils ne connaissent bien que le miaulement du chat. Le chat de la maison qui miaule quand il a faim.

15 *Ils connaissent aussi l'aboiement du chien. Les rues des villes sont pleines de chiens qui se promènent, qui aboient contre d'autres chiens, qui font un concert du matin jusqu'au soir.*

Ils entendent parfois, dans les villes, le chant des oiseaux ; les merles qui sifflent, les moineaux qui pépient, les pigeons qui roucoulent et 20 *les corbeaux qui croassent. Il y aussi les abeilles qui bourdonnent.*

Pourtant, tout petits, à travers les livres d'images, les gens des villes apprennent que la vache fait meuh, que l'âne fait hi han, que le mouton fait bêêê, bêêê, que le canard fait coin, coin, que le chat fait miaou, le chien ouah, ouah, que l'oiseau fait cui, cui, que le pigeon 25 *fait brrrou, rrrrou, que le loup fait hou, hou, le lion râou, râou, l'abeille bzz, bzz, et surtout ils savent très bien que le coq fait cocorico !*

Un jour, enfin, ils apprennent que tous les animaux, parlent français, anglais, espagnol, chinois, japonais, allemand..., qu'ils parlent toutes les langues de la terre.

---

l. 11 : la savane = En Afrique, un espace où des arbres et de hautes herbes poussent.
l. 12 : un cauchemar = un mauvais rêve.

On récapitule

L'action/le verbe	Le cri/le nom
L'abeille **bourdonne** (bourdonner)	*Bzz, bzz, c'est le **bourdonnement** de l'abeille*
l'âne **brait** (braire)	*Dans la ferme, on entend le **braiment** de l'âne.*
le canard **cancane** (cancaner)	*Les **coin-coin** des canards sont fatigants.*
le chat **miaule** (miauler)	*Le **miaulement** d'un chat dans la nuit me rend triste.*
le chien **aboie** (aboyer)	*Les **aboiements** des chiens accompagnent la vie des gens des villes.*
le cheval **hennit** (hennir)	*Le cheval pousse un **hennissement** joyeux en voyant son maître entrer dans l'écurie.*
le coq fait **cocorico**	*Ce sont les **cocoricos** du coq qui annoncent le jour.*
le lion **rugit** (rugir)	*Pendant mon safari photos en Afrique, je n'ai jamais pu dormir à cause des **rugissements** des lions, la nuit.*
le loup **hurle** (hurler)	*Les **hurlements** des loups faisaient très peur aux gens des campagnes.*
le mouton **bêle** (bêler)	*Les **bêlements** des moutons, des brebis et des agneaux faisaient un concert bizarre dans la bergerie.*
l'oiseau **chante** (chanter), le moineau **pépie** (pépier), le merle **siffle** (siffler), le corbeau **croasse** (croasser), le pigeon **roucoule** (roucouler)	*Au printemps, on entend le **chant** des oiseaux, le **pépiement** des moineaux, le **croassement** des corbeaux et les **roucoulements** des pigeons.*
la poule **caquète** ou **caquette** (caqueter)	*On dit parfois que dans une classe où les élèves bavardent, on entend le **caquètement** des poules.*
la vache **meugle** (meugler) ou **beugle** (beugler) ou **mugit** (mugir) comme le taureau.	*Le soir, dans le pré, on entend le **meuglement**, le **beuglement**, le **mugissement** des vaches et des taureaux.*

On apprend par cœur !

Dialogues de bêtes

La vache **meugle** dans l'étable
Le chat **miaule** sous la table
Le cheval **hennit** dans l'écurie
Le mouton **bêle** dans la bergerie
Le lion **rugit** dans la savane
Et l'âne, qu'est-ce qu'il fait l'âne ?
Dans l'écurie, **il brait**, il brait.
Le loup **hurle** dans la forêt
Le chien **aboie**
Chez moi, chez toi
L'abeille **bourdonne** dans le bois.
Le pigeon **roucoule**
Près du fleuve qui coule
Et le coq fait **cocorico**
Debout, arrogant et beau.

6 • Le langage très familier

La langue très familière est souvent pratiquée dans la vie quotidienne. Il n'est cependant pas conseillé de l'utiliser dans certaines situations.

Conversation de bistrot

1   **Le client** – *J'en ai marre, j'ai le cafard ! Rien ne va. J'ai pas de boulot. Je suis crevé, complètement nase.*

    Le barman – *Ah oui ?*

    Le client – *Ma femme s'est tirée parce que j'ai pas de fric. Et elle dit*
5   *que je suis flemmard !*

    Le barman – *Ah oui !*

    Le client – *Mes amis se barrent, je ne sais pas pourquoi. Ouais, ouais, enfin, tout fout le camp !*
    Et toi mec ? Ça baigne pour toi ? Ça marche, hein ? T'es peinard
10 *derrière ton bar ! Tu n'uses pas beaucoup tes godasses, hein ! Toujours à la même place !*

    Le barman – *Eh oui !*

    Quelqu'un entre dans le café.

    Le client – *Tiens, voilà mon pote ! Salut mec ! T'es drôlement fringué !*
15 *Où tu vas comme ça ? Chercher du boulot ? C'est marrant de se fringuer pour aller bosser ! Regardez ce futal ! Et ces pompes ! Ben mon vieux, tu vas les épater, tu vas les scier. Tu es au top ! Tu vas leur faire du baratin ? Et bla bla bla et bla bla bla ! Tu te casses ? C'est ça, fous le camp ! Tchao !*
20 *Regardez ce type là-bas ! Scotché devant son verre depuis une heure. Il est complètement taré le mec, complètement débile ! Il parle tout seul ! Bon, j'me tire ! Salut !*

    Le barman – *Ouais !*

On récapitule

Dans le texte de la p. 189, on a une langue très familière, populaire. C'est souvent la langue des jeunes, c'est la langue de la rue.

ça baigne (du verbe baigner) = ça va – *Bonjour ! Comment vas-tu ?* – *Ça va, ça va, ça baigne !*
le baratin = le fait de parler beaucoup, longtemps, pour séduire *Regarde ce garçon, derrière toi ! Il fait du baratin à la fille qui est assise à côté de lui.* *Il ne la connaît pas, mais il parle, il parle…*
se barrer = s'en aller, partir *Bon, je suis fatigué, j'ai assez travaillé, salut, je me barre !*
bosser = travailler *J'ai bossé toute la journée et maintenant je suis crevé.*
le boulot = le travail *Il a trouvé un petit boulot pour les vacances à la poste.*
avoir le cafard = avoir des idées noires, être triste, déprimé *J'ai le cafard ! Ma petite amie est partie, elle m'a quitté, j'ai le cafard !*
se casser = s'en aller, partir très vite *Tu m'embêtes, allez va-ten, casse-toi !*
crevé(e) = très fatigué(e) *J'ai travaillé toute la nuit et maintenant, je suis crevé, nase !*
débile (adjectif) = imbécile, idiot, bête, nul *Il est débile, il dit des bêtises, il fait des bêtises !*
épater = étonner *Tu as réussi ? Alors, là, tu m'épates !*
un(e) flemmard(e) = un paresseux (-euse) *Quel flemmard ! Il ne fait rien de ses dix doigts. Il ne travaille pas.*
foutre le camp = s'en aller, partir **Tout fout le camp** = rien ne tient, rien ne dure. Tout passe *Métro, boulot, dodo, j'en ai assez ! je suis fatigué ! Je vais foutre le camp !*
le fric = l'argent *Le fric, le fric, le fric ! Il ne pense qu'à ça !* *Il y a autre chose dans la vie !*
se fringuer = s'habiller, bien ou mal **être fringué(e)** = être habillé(e) **les fringues** (nom f. pluriel) = les vêtements *Elle se fringue n'importe comment !* *Un vieux tee-shirt, un vieux pantalon…*
le futal = le pantalon *Regarde ce futal à la mode, là, dans la vitrine !*

une godasse = une chaussure *Elle porte de vieilles **godasses** aux pieds.*
ça marche (du verbe marcher) = ça va *Rendez-vous demain à trois heures ? OK !* ***Ça marche !***
marrant(e) = amusant(e), étonnant(e) *J'ai vu un film très **marrant** ! On rit du début à la fin !*
un mec = un homme, un individu quelconque, un type *Il y a **un mec** derrière nous, qui nous suit ! C'est bizarre…*
nase (adjectif) = fatigué (e) *J'ai beaucoup de boulot ! Je suis **nase** !*
peinard(e) (adjectif) = tranquille *Toi, tu ne fais rien, tu es **peinard** dans ton fauteuil.*
une pompe = une chaussure *Il s'est acheté **les pompes** que tout le monde achète en ce moment. Tout le monde a ces chaussures aux pieds.*
un pote = un camarade, un ami *Oh, merci, tu m'as apporté le DVD que je t'ai demandé. T'es **un pote**, un frère !*
scotché(e) = être collé, ne pas bouger *Il est **scotché** devant la télé !*
scier = étonner *Tu sais que Jean-Pierre va se marier ! Lui ! Lui, le don juan ! Ça m'a **scié** !*
taré = débile, idiot, bête… *Il est **taré**, ce mec ! Il arrive, prend mon Coca et le boit.*
tchao ! = salut, au revoir ***Tchao**, salut, je m'en vais, je me casse, je me tire !*
se tirer = s'en aller, partir *Allez, tchao, **je me tire** !*
au top = être au top = être au maximum ; **c'est le top** = c'est ce qu'il y a de mieux. *On va danser dans cette boîte. En ce moment, c'est **le top** !*
un type = un homme, un individu ***Tu as vu ce type** ? Il est en train de draguer notre amie. Il cherche à faire connaissance avec elle.*

On apprend par cœur !

Hourra les mecs !

Hourra ! les mecs
J'ai du **boulot**
Alors, les mecs, salut, tchao
Je vais me **casser**
Je vais me **tirer**
Loin, très loin
De ce monde **taré**.
Maintenant, dans mon coin
Je serai **peinard**
Je n'aurai plus **le cafard**
Je ne serai plus **flemmard**
J'ai du **boulot**
Ça **baigne** pour moi
Ça **marche** pour moi
Je suis **au top**
J'aurai des **fringues**
Et du **fric**
J'aurai des **futals**
Et des **godasses**
Alors, salut les **mecs**
Tchao les mecs
J'ai du **boulot**.

N° d'éditeur : 10124550 - Avril 2005
Imprimé en Italie par Canale